amor
é pros
sexo
é poesia

OBJETIVA

amor
é prosa
sexo
é poesia

CRÔNICAS AFETIVAS

arnaldo
jabor

OBJETIVA

"Amor é um livro, sexo é esporte
Sexo é escolha, amor é sorte
Amor é pensamento, teorema
Amor é novela, sexo é cinema
Sexo é imaginação, fantasia
Amor é prosa, sexo é poesia."

"Amor e sexo", de Rita Lee,
Roberto Carvalho e Arnaldo Jabor

Sumário

Um rosto inesquecível

Rita Lee fez uma música com a letra tirada de um artigo que escrevi, sobre amor e sexo. A música é linda, fiquei emocionado, não mereço tão subida honra, quem sou eu, quase enxuguei uma furtiva lágrima com minha *gèlida manína* por estar num disco, girando na vitrola sem parar com Rita, aquela *hippie* florida com consciência crítica, aquela *hippie* paródica, aquela mulher divinamente dividida, de noiva mutante ou de cartola e cabelo vermelho que, em 67, acabou com a caretice de Sampa e de suas lindas minas pálidas.

A música veio mesmo a calhar, pois ando com uma fome de arte, ando com saudades da beleza, ando com saudade de tudo, saudade de alguma delicadeza, paz, pois já não agüento mais ser apenas uma esponja absorvendo e comentando os bodes pretos que os políticos produzem no Brasil e o Bush lá fora. Ando meio desesperançado, mas essa canção de Rita trouxe de volta a minha mais antiga lembrança de amor. Isso mesmo: a canção me trouxe uma cena que, há mais de 50 anos, me volta sempre. Sempre achei que esse primeiro momento foi tão tênue, tão fugaz, que não merecia narração. Mas vou tentar.

Eu devia ter uns seis anos, no máximo. Foi meu primeiro dia de aula no colégio, lá no Méier, onde minha mãe me levou, pela rua 24 de maio, coberta de folhas de mangueira que o vento derrubava. Fiquei sozinho, desamparado, sem pai nem mãe no colégio desconhecido. No pátio do recreio, crianças corriam. Uma bola de borracha voou em minha direção e bateu em meu peito. Olhei e vi uma menina morena, de tranças, com olhos negros, bem perto, me pedindo a bola e, nesse segundo, eu me apaixonei. Lembro-me que seu queixo tinha um pequeno machucado, como um arranhão com mercurocromo, lembro-me que ela tinha um nariz arrebitado, insolente e que, num lampejo, eu senti um tremor desconhecido, logo interrompido pelo jogo, pela bola que eu devolvi, pelos gritos e correria do recreio. Ela deve ter me olhado no fundo dos olhos por uns três segundos mas, até hoje, eu me lembro exatamente de sua expressão afogueada e vi que ela sentira também algum sinal no corpo, alguma informação do seu destino sexual de fêmea, alguma manifestação da matéria, alguma mensagem do DNA. Recordando minha impressão de menino, tenho certeza de que nossos olhos viram a mesma coisa, um no outro. Senti que eu fazia parte de um magnetismo da natureza que me envolvia, que envolvia a menina, que alguma coisa vibrava entre nós e senti que eu tinha um destino ligado àquele tipo de ser, gente que usava trança, que ria com dentes brancos e lábios vermelhos, que era diferente de mim, e entendi vagamente que, sem aquela diferença, eu não me completaria. Ela voltou correndo para o jogo, vi suas pernas correndo e ela se virando com uma última olhada. Misteriosamente, nunca mais a encontrei naquela escola. Lembro-me que me lembrei dela quando vi aquele filme *Love Story*, não pelo medíocre filme, mas pelo rosto de Ali McGraw, que era exatamente o rosto que vivia na minha memória. Recordo também, com estranheza, que meu sentimento infantil foi de impossibilidade; aquele rosto me pareceu maravilhoso e impossível de ser atingido inteiramente, foi um instante mágico ao mesmo tempo de descoberta e de perda. Escrevendo agora, percebo que aquela sensação de profundo "sentido" que tive aos seis anos pode ter marcado minha maneira de ser e de amar pelos tempos que viriam. Senti a presença de algo belíssimo e inapreensível que, hoje, velho de guerra, arrisco dizer que talvez seja essa a marca do amor: ser impossível. Calma, pessoal, claro que o amor existe, nem eu sou um masoquista de livro, mas a marca do sublime, o momento em que o impossível parece possível, onde o impalpável fica compreensível, esse instante se repetiu no futuro por minha vida, levando-me para um trem-fantasma de alegrias e dores.

Amar é parecido com sofrer – Luiz Melodia escreveu, não foi? Machado de Assis toca nisso na súbita consciência do amor entre Bentinho e Capitu: "Todo eu era olhos e coração, um coração que desta vez ia sair, com certeza, pela boca."

Isso: felicidade e medo, a sensação de tocar por instantes um mistério sempre movente, como um fotograma que pára por um instante e logo se move na continuação do filme. Sempre senti isso em cada visão de mulheres que amei: um rosto se erguendo da areia da praia, uma mulher fingindo não me ver, mas vendo-me de costas num escritório do Rio... São momentos em que a "máquina da vida" parece se explicar, como se fosse uma lembrança do futuro, como se eu me lembrasse ali do que iria viver.

Esses frêmitos de amor acontecem quando o "eu" cessa, por brevíssimos instantes, e deixamos o outro ser o que é em sua total solidão. Vemos um gesto frágil, um cabelo molhado, um rosto dormindo, e isso desperta em nós uma espécie de "compaixão" pelo nosso próprio desamparo, entrevisto no outro.

A cultura americana está criando um "desencantamento" insuportável na vida social. Vejam a arte tratada como algo desnecessário, sem lugar, vejam as mulheres nuas amontoadas na Internet. Andamos com fome de beleza em tudo, na vida, na política, no sexo; por isso, o amor é uma ilusão sem a qual não podemos viver. Todas essas tênues considerações, essas lembranças de lembranças, essa tentativa de capturar lampejos tão antigos, com risco de ser piegas, tudo isso me veio à cabeça pela emoção de me ver subitamente numa música, parceiro de Rita Lee, "*lovely* Rita", a mais completa tradução de São Paulo, essa cidade cheia de famintos de amor.

O mundo de hoje é travesti

Vou falar um pouco de mulher, eu que mal as entendo na vida. Não falarei das coxas e seios e bumbuns... Falo de uma aura que as percorre. Gosto do olhar de onça, parado, quando queremos seduzi-las, mesmo sinceramente, pois elas sabem que a sinceridade é volúvel. Um sorriso de descrédito lhes baila na boca quando lhes fazemos galanteios, mas acreditam assim mesmo, porque elas querem ser amadas, muito mais que desejadas. Elas estão sempre fora da vida social, mesmo quando estão dentro. Podem ser as maiores executivas, mas seu corpo lateja sob o *tailleur* e lá dentro os órgãos estranham a estatística e o negócio. Elas querem ser vestidas pelo amor. O amor para elas é um lugar onde se sentem protegidas.

O termômetro das mulheres é: "Estou sendo amada ou não? Esse bocejo, seu rosto entediado... será que ele me ama ainda?" A mulher não acredita em nosso amor. Quando tem certeza dele, pára de nos amar. A mulher precisa do homem impalpável, impossível. As mulheres têm uma queda pelo canalha. O canalha é mais amado que o bonzinho. Ela sofre com o canalha, mas isso a justifica e engrandece, pois ela tem uma missão amorosa: quer que o homem a entenda, mas isso está fora de nosso alcance. A mulher pensa por metáforas. O homem, por metonímias. Entenderam? Claro que não. Digo melhor, a mulher compõe quadros mentais que se montam em um conjunto simbólico misterioso, como a arte. O homem quer princípio, meio e fim. Não estou falando da mulher sociológica, nem contemporânea, nem política. Falo de um sétimo órgão que todas têm, de um "ponto G" da alma.

Mulher não tem critério; pode amar a vida toda um vagabundo que não merece ou deixar de amar instantaneamente um sujeito devoto. É terrível quando a mulher cessa de te amar. Você vira um corpo sem órgãos, você vira também uma mulher abandonada.

Toda mulher é "Bovary"... e para serem amadas, instilam medo no coração do homem... Carinhosas, mas com perigo no ar. A carinhosa total entedia os machos... ficam claustrofóbicos. O homem só ama profundamente no ciúme. Só o corno conhece o verdadeiro amor. Mas, curioso, a mulher nunca é corna, mesmo abandonada, humilhada, não é corna. O homem corneado, carente, é feio de ver. A mulher enganada tem ares de heroína, quase uma santidade. É uma fúria de Deus, é uma vingadora, é até suicida. Mas nunca corna. O homem corno é um palhaço. Ninguém tem pena do corno. O ridículo do corno é que ele achava que a possuía. A mulher sabe que não tem nada, ela sabe que é um processo de manutenção permanente. O homem só vira homem quando é corneado. A mulher não vira nada nunca. Nem nunca é corneada... pois está sempre se sentindo assim... Como no homossexualismo: a lésbica não é viado.

A mulher é poesia. O homem é prosa. Isso não quer dizer que mulher seja do bem e o homem, do mal. Não. Muita vez, seus abismos são venenosos, seu mistério nos mata. A mulher quer ser possuída, mas não só no sexo, tipo "me come todinha". Falam isso no motel, para nos animar. O homem é pornográfico; a mulher é amorosa. A pornografia é só para homens. A mulher quer ser possuída em sua abstração, em sua geografia mutante, a mulher quer ser descoberta pelo homem para ela se conhecer. Ela é uma paisagem que quer ser decifrada pelas mãos e bocas dos exploradores. Querem descobrir a beleza que cabe a nós revelar-lhes. As mulheres não sabem o que querem; o homem acha que sabe. O masculino é certo; o feminino é insolúvel. O homem é espiritual e a mulher é corporal. A mulher é metafísica; homem é engenharia. A mulher deseja o impossível; desejar o impossível é sua grande beleza. Ela vive buscando atingir a plenitude e essa luta contra o vazio justifica sua missão de entrega. Mesmo que essa "plenitude" seja um *living* bem decorado ou o perfeito funcionamento do lar. O amor exige coragem. E o homem... é mais covarde. O homem, quando conquista, acha que não tem mais de se esforçar e aí, dança...

A mulher é muito mais exilada das certezas da vida que o homem. Ela é mais profunda que nós. Ela vive mais desamparada e, no entanto, mais segura. A vida e a morte saem de seu ventre. Ela faz parte do grande mistério que nós vemos de fora.

Hoje em dia, as mulheres foram expulsas de seus ninhos de procriação e jogadas na obrigação do sexo ativo e masculino. A supergostosa é homem. É um travesti ao contrário. Alguns dizem que os homens erigiram suas instituições apenas para contrariar os poderes originais bem superiores da mulher.

As mulheres sofrem mais com o mal do mundo. Carregam o fardo da dor social, por serem mais sensíveis e mais fracas. Os homens, por serem fálicos, escamoteiam a depressão e a consciência da morte com obsessões bélicas, financeiras. O mundo está tão indeterminado que está ficando feminino, como uma mulher perdida: nunca está onde pensa estar. O mundo determinista se fracionou globalmente, como a mulher. Mas não é o mundo delicado, romântico e fértil da mulher; é um mundo feminino comandado por homens boçais. Talvez seja melhor dizer um mundo-travesti. O mundo hoje é travesti.

Nosso macho feliz é casado consigo mesmo

QUERO SER FELIZ. Para isso, preciso de modelos. Há os livros de auto-ajuda, há a felicidade oficial da mídia. Quero ser feliz e, nas revistas, vejo os meus ídolos galãs, malhados, ricos, rindo entre modelos e apresentadoras. Quero ser feliz modernamente, mas carrego comigo lentidões, medos, idéias antigas de alegria, traumas, conflitos. Sinto-me aquém dos felizes de hoje. Não consigo me enquadrar nos rituais de prazer que vejo nas revistas.

Posso ter uma crise de depressão em meio a uma orgia, não tenho o dom da gargalhada infinita, posso chorar no auge de uma bacanal. Fui educado por jesuítas e pai severo, para quem o riso era quase um pecado, a gargalhada, uma bofetada.

Para mim, felicidade era uma missão, a conquista de algo maior que me coroasse de louros, a felicidade pressupunha "sacrifício", luta por cima de obstáculos. Olhando os retratos antigos, vemos que a felicidade masculina era ligada à idéia de "dignidade", vitória de um projeto de poder; vemos os barbudos do século XIX de nariz empinado, perfis de medalha, donos de algum poder nem que fosse sobre a mulher e os filhos aterrorizados.

Nos meus 20 anos, meu ídolo era o James Bond, bonito, corajoso, entendendo de vinhos e de aviões supersônicos, comendo todo mundo, de *smoking*. Mundano? Sim, mas mesmo o Bond se esforçava, pois tinha a missão de salvar o Ocidente. Era um trabalhador incansável que merecia as louraças que papava.

Hoje, não. Nossos heróis masculinos não trabalham. A mídia nos ensina que os heróis da felicidade não têm ideal algum a conquistar, a não ser eles mesmos. A felicidade virou uma autoconstrução de sucesso, de bom desempenho. O solitário feliz suga o prazer em cada flor, sem conflitos, sem dor, sem afetos profundos, mas sempre com um sorriso simpático e congelado. O herói feliz passa a idéia de que não precisa de ninguém, de que todos são objeto de seu desejo, de que todos podem ser prisioneiros de seu charme; mas ele, de ninguém. A felicidade moderna é o consumo do outro. Para o herói da mídia, o mundo é um grande pudim a ser comido, sem nada a se dar em troca. Meu homem feliz pode ter todas as mulheres, mas é casado consigo mesmo. Não pensem que estou criticando isso; estou é com inveja desta leveza de ser, dessa ligeireza. "Ligeireza" é a palavra – velocidade nas vivências e relações.

Assim como a mulher da mídia deseja ser um objeto de consumo, como um eletrodoméstico, quer ser um avião, uma "máquina" peituda, bunduda, *sexy* (mesmo se fingindo), também o homem da mídia deseja ser "coisa", só que mais ativa, como uma metralhadora, uma Ferrari, um torpedo inteligente e, mais que tudo, um grande pênis voador, um "passaralho" superpotente, mas irresponsável e frívolo, que pousa e voa de novo, sem flacidez e sem angústias. O macho brasileiro tem pavor de ser possuído por uma mulher. Não há a entrega; basta-lhe o "encaixe". O herói macho se encaixa em heroína fêmea B e produzem uma engrenagem C, repleta de luxos e arrepios, entre lanchas e caipirinhas, entre *jet-kis* e BMWs, num esfuziante casamento que dura três capas de *Caras*. E, ainda por cima, atribuem uma estranha "profundidade" a esta superficialidade porque hoje, esse diletantismo tem o charme de uma sabedoria "pós-utópica".

Meu homem moderno tem orgasmos longos, ereções vítreas e telescópicas, sem trêmulas "meias-bombas", meu homem feliz é bem informado e cínico, meu homem conhece bem as tragédias modernas, mas se lixa para elas, não por maldade, mas por uma crua "maturidade", um alegre desencanto. Meu homem vive em velocidade. O mundo da internet, do celular, do mercado financeiro global imprimiu-lhe seu ritmo, dando-lhe o *glamour* de um funcionamento sem corrosão, uma eterna juventude que afasta a morte.

Meu homem é antes de tudo um forte, mas um negador. Para ser feliz é necessário negar, denegar, renegar problemas, esquecer as tristezas do mundo. Esta é a receita de felicidade: não pensar em câncer, nem em angústia, nem na miséria do povo. Mas chega um dia em que o herói se deprime, um dia em que a barriga cresce, o amargor torce-lhe os lábios e o homem feliz percebe que também precisa de um ritual de encontro, algo semelhante à boa e "velha" felicidade.

Meu homem feliz intui confusamente que a aventura da verdadeira solidão é apavorante. Daí, ele evita que qualquer profundidade existencial possa pintar, que a idéia de morte e finitude apareça à sua frente, senão sua "liberdade" ficaria insuportável. E, aí, ele passa a viver um paradoxo: ligar-se sem ligar-se. Ele percebe que precisa do casamento protetor como uma esperança de "sentido". Aí, ele se casa, entre risos dos amigos, como se tivesse cedido a uma fraqueza. E viverá infeliz, numa eterna insatisfação.

Meu avô foi um belo retrato do malandro carioca

ESTE TEXTO É sobre ninguém. Meu avô não foi ninguém. No entanto, que grande homem ele foi para mim. Meu pai era severo e triste, mal o via, chegava de aviões de guerra e nem me olhava. Meu avô, não. Me pegava pela mão e me levava para o Jockey, para ver os cavalinhos. Foi uma figura masculina carinhosa em minha vida. Se não fosse ele, talvez eu estivesse hoje cantando boleros no Crazy Love, com o codinome Neide Suely.

Meu avô, Arnaldo Hess, foi um belo retrato do Brasil dos anos 40/50. Era um malandro carioca – em volta dele, gravitavam o botequim, a gravata com alfinete de pérola, o sapato bicolor, o cabelo com Gumex, o chapéu-palheta, o relógio de corrente, seu Patek Phillipe tão invejado, em volta dele ressoava a língua carioca mais pura e linda, com velhas gírias ("Essa matula do Flamengo é turuna!"...). Meu avô era orgulhoso de viver nesta cidade baldia e amada, o Rio que soava nos discos de 78 rpm, nas ondas do rádio, o Rio precário e poético, dos esfomeados malandros da Lapa, das mulheres sem malho e de seus sofrimentos românticos, entre varizes e celulite. Antes de morrer, ele me olhou, já meio lelé, e disse a frase mais linda: "É chato morrer, seu Arnaldinho, porque eu nunca mais vou à avenida Rio Branco". Ali, onde ele me levava para tomar refresco na Casa Simpatia, era o centro de seu mundo. Os políticos canalhas populistas que estão hoje aí querem a volta do passado apenas pelo lado "sujo" do atraso. Mas havia também uma poética do atraso – na Lapa, no Mangue, havia um Rio que, com poucas migalhas, fabricava uma urbanidade pobre, bela e democrática.

Ele também me dava aulas de sexo. Contou-me uma vez que a melhor mulher que ele teve na vida tinha sido uma "joão". Que era "joão"? Esse termo, ainda escravista, designava as pretinhas tão pretinhas que tinham o pixaim da cabeça ralo, quase carecas. Eram as "joão". Pois ele me disse: "Foi no terreno baldio, ali na General Belfort... foi o melhor *nick fostene* que eu tive..." (Inventara esse nome de falso inglês de cinema americano para designar a cópula, sendo a palavra acompanhada pelo gesto vaivém de bomba de "Flit": Nick Fostene...) Contava isso a um menino de dez anos, a quem ele dava cigarros e ensinava (a mim e ao Claudio Acylino, meu primo) a pegar bonde no estribo, andando. Me apresentou sua amante, uma mulher ruiva chamada Celeste, que me beijava trêmula e carente como uma avó postiça e que, sendo de "boa família" (ele me falava disso com uma ponta de orgulho), "nunca se metera em sua vida familiar oficial". Isso ele dizia com os olhos machistas molhados de gratidão. Ou seja, ele me ensinava tudo errado e com isso me salvou.

Quase analfabeto, vivera grudado com a turma dos intelectuais da Colombo, babando com os trocadilhos de Emilio de Menezes, Olavo Bilac, Agripino Grieco nos anos 20, o que lhe deu um fascinado amor às letras que não lia, mas que o fez trazer-me sempre um livro novo, da Rio Branco, junto com a goiabada cascão e o catupiry.

Uma vez, já mais tarde, eu namorava uma moça lindíssima e virgem (claro) mas burrinha. Reclamei com ele. Resposta: "Ah, é burrinha? Você quer inteligência? Então vai namorar o Santiago Dantas!" Quando fomos aos sinistros *rendez-vous*, de onde nos floresceram as primeiras gonorréias, nossos pais severos bronquearam: "Vocês são uns porcos!" Já nosso vovô riu, sacaneando: "Poxa... boas mulheres, hein...?"

Vovô nos ensinava a conversar com as pessoas, olho no olho. Na minha família de classe média, celebravam-se as meias-palavras, o fingimento de uma elegância falsa, de uma *finesse* irreal. Só meu avô falava com os vagabundos da rua, com os botequineiros, com os mata-mosquitos. Enquanto minha família toda votava histericamente na UDN, em pleno delírio golpista, meu avô pegou o chapéu, e foi votar. Eu fui atrás dele... "Votar em quem?" "No Getúlio, seu Arnaldinho... ele gosta do povo e eu sou povo."

"E eu sou 'povo' também, vovô?", perguntei. Ele riu: "Você não; você tem velocípede..."

Ele me levava ao Maracanã, ele me levava em seu ombro para ver a estrela de néon da cervejaria Black Princess (até hoje me brilha esta supernova na alma), ele, uma vez, deixou-me ver um morto na calçada, navalhado no peito ("Parecia a fita do Vasco da Gama", ele disse) – não me escondeu a tragédia. Me ensinou tudo errado e me salvou...

Meu avô adorava a vida e usava sempre o adjetivo "esplêndido", tão lindo e estrelado. A laranja chupada na feira estava "esplêndida", a jabuticaba, a manga-carlotinha, tudo era "esplêndido" para ele, pobrezinho, que nunca viu nada; sua única viagem foi de trem a Curitiba, de onde trouxe mudas de pinheiros. "Esplêndidas..."

No fim da vida, já gagá, eu o levava ao Jockey para ele conversar com o Ernani de Freitas, o amigo tratador de cavalos, que lhe dava um carinho condescendente com sua gagazice, falando de cavalos que já haviam morrido. "Hoje corre a Tirolesa ou a Garbosa?", perguntava. "A Tiroleza está machucada, Arnaldo..."

Velho gagá, deu para dizer coisas profundíssimas. Uma vez, já nos anos 70, celebrei para ele as maravilhas lisérgicas do LSD que eu tomara. Ele me ouviu falar em "delírio de cores", *"lucy in the skies"* e comentou: "Cuidado, Arnaldinho, pois nada é só bom..." Outra vez, vendo passar um super-ripongão sujo, "bicho-grilo brabo", comentou: "Olha lá. Um sujeito fingindo de mendigo para esconder que realmente é...!"

Há dois anos, na exumação de um parente, o coveiro colocou várias caixas de ossos em cima do túmulo. Numa delas, estava escrito a giz: "Arnaldo Hess". Não resisti e levantei de leve a tampa de zinco. Estavam lá os ossos de vovô. Vi um fêmur, tíbias, que eu toquei com a mão. Vocês não imaginam a infinita alegria de, por segundos, encostar em meu avô querido. Eu estava com ele de novo em 1952, sob o céu azul do Rio.

Meu avô não era ninguém. Mas nunca houve ninguém como ele.

Meditações diante do bumbum de Juliana

Ultimamente só houve um assunto nesse bendito país: o bumbum de Juliana Paes na *Playboy*. O bumbum era esperado como um messias redentor, aguardado como a salvação do Brasil neste momento sem graça.

Políticos, bancários, eu, todos ansiávamos por esse bumbum como por um Maomé, um profeta. O que poderia nos revelar esse bumbum?

Corri para as bancas e comprei a *Playboy* sob o olhar debochado do jornaleiro que me reconheceu e perguntou se eu não ia levar o *The Economist* também. "Claro, claro...", respondi, vermelho. Chego em casa, rasgo a capa de plástico com as mãos trêmulas, abro com uma sensação de pecado e esperança, e vejo Juliana Paes em seu esplendor. Folheio a revista e caio numa perplexidade muda.

Antes de continuar, devo dizer que já escrevi sobre o bumbum da Feiticeira, o bumbum da Tiazinha e continuo sem uma palavra apropriada. Não há na língua portuguesa um termo corrente para essa parte do corpo. A palavra "bunda" tem uma conotação pejorativa, um substantivo já adjetivado de saída. Há eufemismos como "traseiro" ou metonímias como "nádegas", "glúteos" etc... Portanto, "bunda" é a palavra certa.

Muito bem; com todo o respeito, a bunda de Juliana me deixou aparvalhado. Não sei se esperava muito; só sei que fui tomado por uma funda decepção. Não sobre a beleza da bunda, pois é muito bonita, sim, mas pelo choque de realidade que me trouxe. Afinal, verificamos que era apenas uma bunda e não um enviado de Deus, era apenas uma moça que nos parece gentil, romântica, bondosa como uma babá, mostrando o bumbum como um bebê recém-nascido.

Ela sorri, parecendo dizer: "É só isso o que vocês queriam? Ora... pois aqui está minha bundinha..." Olhei o bumbum de Juliana por todos os ângulos, e nada aconteceu, sexual e filosoficamente. Confesso, Juliana, com todo o respeito, que imaginei cenas eróticas comigo mesmo, com outros e nada senti... Pensei: "Estou decadente, ou as uvas estão verdes..." Mas, não, não era isso. Bateu-me mesmo uma certa tristeza, de ver aquela moça ali, satisfazendo nosso desejo bruto e invasivo, esse povo de onanistas e sodomitas sempre desejando a mulher por trás. Senti um vazio ao ver um segredo revelado, estragando com sua nudez meridiana a glória da moça da novela. Algo como água fria num sucesso, algo como a traição contra Zeca Pagodinho, no auge de sua ascensão. O mercado estraga o prazer, programando-o. Toda a beleza do mito é justamente seu mistério inacessível, seu enigma não decifrado. Juliana da novela não é só sua bunda.

Ela é a doce ingênua do subúrbio, a moça generosa, dadeira, mas honesta, com seu rosto redondo de brasileira, com largos quadris de boa mãe leiteira.

Sua nudez não tem a norma perversa das *playmates* típicas. Falta-lhe a crua perversão das outras, gatas ferozes prometendo sexo selvagem. Não. Juliana tenta rostos sacanas, mas só passa uma doçura incontrolável, faltando-lhe a catadura zangada das *punks* ou sadomasoquistas.

Daí, me bateu a verdade inapelável e cruel: a bunda não existe. Só existe a "idéia" de bunda, o conceito platônico de bunda. Isso. No caso de Juliana, o bumbum real destrói o bumbum imaginário. Sempre sonhamos com aquele bumbum adivinhado sob os vestidos na novela e ele tinha a multidimensão rica de uma metáfora. Ele era todos os bumbuns, ele era uma promessa de vida em nossos corações. Mas, diante do bumbum real, a vida perdeu o mistério, tudo se aquietou na paz da anatomia óbvia. Vemos, com clareza e realismo, que é apenas um bom bumbum brasileiro, que um dia cairá, como o PT.

Por isso, me pergunto por que a bunda é nosso símbolo? Para os anglo-saxões são os seios, leiteiros, alimentícios. O bumbum para nós, ibéricos, é menos inquietante que a vagina; essa nos lembra fecundidade, essa nos coloca diante da responsabilidade da criação da vida, e até dos perigos da devoração pela fêmea dentada e potente. A vagina é um pênis embutido; a vagina é o "outro" e merece respeito. Já o bumbum, por infecundo, a reboque do corpo, tem uma imagem mais propícia para sacanagens sem perigo, além de ser uma herança do homossexualismo deslocado dos senhores portugueses diante da negras zulus nas senzalas.

Por isso, afirmo que o bumbum de Juliana é uma bunda romântica, familiar. No caso de Tiazinha ou da Feiticeira, a bunda tinha vida própria. Era mais importante que as donas.

Muitas mulheres de bonitas bundas chegam a ter ciúmes de si mesmas e têm uma atitude envergonhada de suas formas calipígias. A mulher de bunda bonita caminha como se fossem duas: ela e sua bunda. Uma fala e ninguém ouve; a outra cala e todos olham. A mulher de bunda bonita não tem sossego; está sempre autoconsciente do tesouro que reboca. A mulher de bunda bonita mesmo de frente está sempre de costas. A mulher de bunda bonita vive angustiada: quem é amada? Ela ou sua bunda? Algumas bundas até parecem ter pena de suas donas e quase dizem: "Olhem para ela também, ouçam suas opiniões, sentimentos... Ela também é legal..."

A bunda hoje no Brasil é um ativo. Centenas, milhares de moças bonitas usam-na como um emprego informal, um instrumento de ascensão social. A globalização da economia está nos deixando sem calças. Sobrou-nos a bunda... nosso único capital.

Amor é prosa, sexo é poesia

SÁBADO, FUI ANDAR na praia em busca de inspiração para meu artigo de jornal. Encontro duas amigas no calçadão do Leblon.

– Teu artigo sobre amor deu o maior auê... – me diz uma delas.
– Aquele das mulheres raspadinhas também... Aliás, que que você tem contra as mulheres que barbeiam as partes? – questiona a outra.
– Nada... – respondo. – Acho lindo, mas não consigo deixar de ver ali nas partes dessas moças um bigodinho *sexy*... não consigo evitar... Penso no bigodinho do Hitler, do Sarney... Lembram um sarneyzinho vertical nas modelos nuas... Por isso, acho que vou escrever ainda sobre sexo...
Uma delas (solteira e lírica) me diz:
– Sexo e amor são a mesma coisa...
A outra (casada e prática) retruca:
– Não são a mesma coisa não...

Sim, não, sim, não, nasceu a doce polêmica ali à beira-mar. Continuei meu *cooper* e deixei as duas lindas discutindo e bebendo água-de-coco. E resolvi escrever sobre essa antiga dualidade: sexo e amor. Comecei perguntando a amigos e amigas. Ninguém sabe direito. As duas categorias se trepam, tendendo ou para a hipocrisia ou para o cinismo; ninguém sabe onde a galinha e onde o ovo. Percebo que os mais "sutis" defendem o amor, como algo "superior". Para os mais práticos, sexo é a única coisa concreta. Assim sendo, meto aqui minhas próprias colheres nesta sopa.

O amor tem jardim, cerca, projeto. O sexo invade tudo. Sexo é contra a lei. O amor depende de nosso desejo, é uma construção que criamos. Sexo não depende de nosso desejo; nosso desejo é que é tomado por ele. Ninguém se masturba por amor. Ninguém sofre sem tesão. O sexo é um desejo de apaziguar o amor. O amor é uma espécie de gratidão *a posteriori* pelos prazeres do sexo.

O amor vem depois. O sexo vem antes. No amor, perdemos a cabeça, deliberadamente. No sexo, a cabeça nos perde. O amor precisa do pensamento.

No sexo, o pensamento atrapalha; só as fantasias ajudam. O amor sonha com uma grande redenção. O sexo só pensa em proibições; não há fantasias permitidas. O amor é um desejo de atingir a plenitude. Sexo é o desejo de se satisfazer com a finitude. O amor vive da impossibilidade sempre deslizante para a frente. O sexo é um desejo de acabar com a impossibilidade. O amor pode atrapalhar o sexo. Já o contrário não acontece. Existe amor com sexo, claro, mas nunca gozam juntos. Amor é propriedade. Sexo é posse. Amor é a casa; sexo é invasão de domicílio. Amor é o sonho por um romântico latifúndio; já o sexo é o MST. O amor é mais narcisista, mesmo quando fala em "doação". Sexo é mais democrático, mesmo vivendo no egoísmo. Amor e sexo são como a palavra *farmakon* em grego: remédio ou veneno. Amor pode ser veneno ou remédio. Sexo também – tudo dependendo das posições adotadas.

Amor é um texto. Sexo é um esporte. Amor não exige a presença do "outro"; o sexo, no mínimo, precisa de uma "mãozinha". Certos amores nem precisam de parceiro; florescem até mais sozinhos, na solidão e na loucura. Sexo, não – é mais realista. Nesse sentido, amor é uma busca de ilusão. Sexo é uma bruta vontade de verdade. Amor muitas vezes é uma masturbação. Sexo, não. O amor vem de dentro, o sexo vem de fora, o amor vem de nós e demora. O sexo vem dos outros e vai embora. Amor é bossa nova; sexo é carnaval.

Não somos vítimas do amor; só do sexo. "O sexo é uma selva de epilépticos" ou "O amor, se não for eterno, não era amor" (Nelson Rodrigues). O amor inventou a alma, a eternidade, a linguagem, a moral. O sexo inventou a moral também do lado de fora de sua jaula, onde ele ruge. O amor tem algo de ridículo, de patético, principalmente nas grandes paixões. O sexo é mais quieto, como um caubói – quando acaba a valentia, ele vem e come. Eles dizem: "Faça amor, não faça a guerra." Sexo quer guerra. O ódio mata o amor, mas o ódio pode acender o sexo. Amor é egoísta; sexo é altruísta. O amor quer superar a morte. No sexo, a morte está ali, nas bocas... O amor fala muito. O sexo grita, geme, ruge, mas não se explica. O sexo sempre existiu – das cavernas do paraíso até as saunas *relax for men*. Por outro lado, o amor foi inventado pelos poetas provençais do século XII e, depois, revitalizado pelo cinema americano da direita cristã. Amor é literatura. Sexo é cinema. Amor é prosa; sexo é poesia. Amor é mulher; sexo é homem – o casamento perfeito é do travesti consigo mesmo. O amor domado protege a produção; sexo selvagem é uma ameaça ao bom funcionamento do mercado. Por isso, a única maneira de controlá-lo é programá-lo, como faz a indústria das sacanagens. O mercado programa nossas fantasias.

Não há saunas *relax* para o amor. No entanto, em todo bordel, finge-se um "amorzinho" para iniciar. O amor está virando um *hors-d'oeuvre* para o sexo. Amor busca uma certa "grandeza". O sexo sonha com as partes baixas. O perigo do sexo é que você pode se apaixonar. O perigo do amor é virar amizade. Com camisinha, há sexo seguro, mas não há camisinha para o amor. O amor sonha com a pureza. Sexo precisa do pecado. Amor é o sonho dos solteiros. Sexo, o sonho dos casados. Sexo precisa da novidade, da surpresa. "O grande amor só se sente no ciúme" (Proust). O grande sexo sente-se como uma tomada de poder. Amor é de direita. Sexo, de esquerda (ou não, dependendo do momento político. Atualmente, sexo é de direita. Nos anos 60, era o contrário. Sexo era revolucionário e o amor era careta). E por aí vamos. Sexo e amor tentam mesmo é nos afastar da morte. Ou não; sei lá... *e-mails* de quem souber para o autor.

O chato é antes de tudo um forte

ESTÁ TUDO TÃO chato no Brasil, que vou escrever sobre os chatos. Você é chato? Nunca saberá. O chato não se sabe como tal, ou melhor, sabe sim, mas sempre tem a esperança de sair da categoria e ser aceito como não-chato. Por isso, chateia todo mundo. O chato é, antes de tudo, um carente. Ele vive do sangue dos outros, do ar dos outros, o chato precisa de você para viver. Sozinho, o chato não existe. Existem vários tipos de chatos. O mais famoso é o chato de galochas, que eu pesquisei e descobri que a origem do termo fala do cara que sai de casa com chuva torrencial, põe as galochas e vai a tua casa para te chatear. Há chatos masoquistas e sádicos. O primeiro é aquele que gosta de chatear para ser maltratado: "Porra, não enche, cara!" Adora ouvir esta frase, para remoer um rancor delicioso que valoriza sua solidão: "Não me entendem, logo sou especial!" O chato sádico, não. Ele quer ver teu desespero e escolhe os piores momentos para te azucrinar: "Poxa... sua mãe morreu ontem, mas ouve meu problema com minha mulher..."

Eu não vou fazer aqui um tratado geral dos chatos, como já fez o Guilherme Figueiredo, aliás um livro chato. Como lutar contra eles? Por exemplo, o Tom Jobim, uma das maiores vítimas de chatos, ensinou-me um truque: "Use óculos escuros. O chato fica desorientado quando não vê teus olhos. O chato adora ver o próprio rosto refletido em teus olhos desesperados. Com você de óculos escuros, ele desiste e vai embora." O chato gosta de ver teu sofrimento, por isso não adiantam as respostas malcriadas, resmungos. Ele gruda mais. Nem adianta fingir simpatia, na esperança de que ele parta. Não há solução. Se bem que a reza ajuda. O chato está falando e você ali lembrando a "Ave-Maria". Te acalma como um mantra e Deus pode vir em tua ajuda.

Outra técnica que funciona muito é chatear o chato. Seja o chato do chato. Ele pergunta: "Por que você não volta a fazer cinema?" E você retruca: "Que você está achando do PMDB?" Faça-o falar, como o Freud agia com as histéricas. O chato falador é mais suportável do que o chato perguntador. Depois que eu comecei a falar na TV, virei um papel apanha-moscas para chatos. Não quero bancar o famosinho mas, veja bem (como dizem os chatos), o sujeito te vê na TV, no quarto onde ele está transando com a mulher e você na tela, falando sobre o Chavez... O cara fica íntimo teu e te agarra na rua, no *shopping* e gruda, como um colega conjugal. Uma vez, tinha um chato no celular (grande tipo novo, o chato do celular) e eu tomando um cafezinho no aeroporto, oito da manhã, indo para Porto Velho, com conexões. "Ihh... meu amor... sabe quem está aqui ao meu lado?... O Jabor... éé... quer ver?" Se vira para mim e: "Fala aqui com minha namorada... o nome dela é Eliette." Esse é primo do chato-corno: "Minha mulher te ama; dá um autógrafo pra ela... Escreve: Te amo, Marilu..." (O chato-mala nunca tem caneta ou papel): "Escreve aqui mesmo neste guardanapo molhado..."

Temos também o chato do elevador. Estou num elevador vazio, indo para o 20º. Entra um cara e me olha. Eu, precavido, já estou de cabeça baixa. Há uns momentos tensos de dúvida: "Ele ousará falar?", eu penso. "Falo com ele?", ele pensa. Passam uns andares. "Ele não vai agüentar", eu penso. Não dá outra. "Você não é aquele cara da TV?" "Sou... ha ha...", digo, pálido, fingindo-me deliciado. "Só que eu esqueci teu nome... Como é teu nome mesmo?" "É Arnaldo", digo eu, querendo enforcá-lo na gravata de bolinhas. "Não... é outro nome... ah... é... Jabor... isso... porra, claro... E é você mesmo que escreve aquelas coisas...?" E eu penso, sorrindo simpático: "Não; é a tua mãe que me manda lá da zona."

Tem o chato-mala, sempre no ataque. Outro dia, também no aeroporto, eu subindo uma escada, com duas malas e o cara berrou: "Eiii, me dá um autógrafo!" Todo mundo olhando e eu com duas malas. "Não me leve a mal, mas estou pegando o avião..." E ele: "Poxa... tu tá ficando é muito mascarado, cara!"

Um dia, houve o clímax, a apoteose do chato do autógrafo. Fazia eu um modesto xixi num banheiro de cinema, aquele xixi triste e pensativo, quando o cara chegou: "Me dá um autógrafo?" Fiquei uma arara: "Estou fazendo xixi... tu quer o quê?" E ele: "Qual é a tua? Tá pensando que eu sou viado? Enfia esse autógrafo..."

Tem muitos tipos. Tem o chato crítico. Ele te agarra na rua e começa com elogios rasgados: "Você é o máximo; aquele teu artigo foi demais, mas... (trata-se do chato do 'mas'...) mas, você disse uma besteira horrível – o PIB da China não é aquele que você falou..."

Um chato muito encontradiço é o chato da Ponte Aérea... Ele fica à espreita na sala, atrás de uma coluna. Você entra... ele te vê de longe... Você pensa: "Será que ele me viu?" Você finca os olhos no jornal, trêmulo de medo e esperança. Dali a pouco, passos a teu lado, uma maleta pousando no chão e ele gruda: "Posso lhe dizer uma coisa...?" E pela lei de Murphy, em geral ele estará na poltrona ao lado no avião.

Tem o chato da foto: "Posso tirar uma foto com você?" Pronto. Lá estou eu na rua, abraçado a um idiota de bigode, com todo mundo olhando. *Flash*! E o cara some num segundo, com um rápido "obrigado". Esses só querem nos roubar a imagem... O chato da foto sempre me deixa carente...

Há muitos tipos. O chato-altissonante, por exemplo. Grita no bar, de longe: "Ei, Jabor, que que tu tá achando da guerra Israel-Árabe?" Um altissonante uma vez me berrou na saída de um teatro: "Adoro você... (eu sorrio, rubro de modéstia) mas tu precisa parar de falar besteira sobre o Lula, hein...! Olha, por isso o Ferreirinha aqui te odeia!" (Ao lado dele, está o "ajudante de chato", rindo com deboche.)

Tem todo tipo. E agora tem os "e-chatos" na internet que, aliás, botaram na rede artigos boçais e maniqueístas, que eu nunca escrevi, assinados com meu nome. Já puseram um em que "eu" esculhambava a Adriane Galisteu. E agora tem outro rolando, chamado "Faz parte", onde o falso "eu" humilha aquele rapaz que ganhou o *Big Brother*. Além de e-chatos, esses são canalhas e burros.

Pelé Eterno me trouxe a infância de volta

Eu NÃO ENTENDO de futebol. Onde eu morava, na Urca, comprido como uma cegonha triste (que aliás era meu apelido), havia vários times de praia, com belas camisas coloridas. Eu era fanático pelo Ipiranga, de uniforme verde e vermelho, que eu almejava ostentar um dia, de preferência se Silvinha, moreninha de olhos verdes, estivesse na amurada me vendo driblar adversários, dando-lhes chapéus sucessivos e entrando triunfalmente pelo gol do Lá Vai Bola, temido time do Leme. Mas faltava-me agressividade, faltava-me a virilidade dos garotos da rua, duros e secos, porradeiros e xingadores, faltava-me a natural destreza das panturrilhas musculosas. Por isso, eu era o eterno aspirante a uma vaga, rondando as convocações do time, quando as camisas eram distribuídas pelo capitão. Em uma tarde de domingo, faltou o ponta-esquerda titular do Ipiranga, que ficara de castigo em casa por ter espirrado, de sua varanda, tinta de caneta Parker na cabeça dos passantes. Eu me acendi de esperança. O capitão do time, o temido Acreano, me examinou de longe com as camisas na mão. Meio contrafeito, como quem faz um favor, atirou-me a almejada camiseta. Vesti-a com o coração aos pulos, sentindo que uma vida nova começava, espiando pelo canto do olho as meninas já sentadas na amurada, Silvinha entre elas, em cochichos e risos com suas blusinhas de "banlon" e saias plissadas. Desfilei por ali, sem olhá-las diretamente, com a naturalidade de um profissional, chegando mesmo a tentar uma discreta embaixadinha.

O juiz já estava de apito na boca, e era o famoso Mário Vianna, que morava ali na orla e, às vezes, brincava de apitar jogos de garotos, como aquele, entre o Ipiranga e o Arsenal, com suas listras azuis e douradas. Eu, de mãos na cintura e tornozeleira, firmava um olho na bola e o outro em Silvinha, concentrando energia para dar o melhor de mim e sair da condição de "babaca", classe onde eu vivia, para entrar na categoria dos fortes, dos brutos.

Foi aí que minha vida começou a mudar. O juiz ia apitar quando se ouviu um alarido de "pára, pára", cobrindo a chegada esbaforida de Porcolino, o festejado ponta-esquerda do Ipiranga, que fugira de casa e corria para sua posição de titular. Em um segundo, o capitão Acreano tirou-me a camisa e entregou-a a Porcolino, famoso por um raro gol de bicicleta que fizera contra um time visitante.

Parecia que me tiravam a pele, quando arranquei a camisa verde e rubra; sentia-me nu e arrojado de volta à classe dos "otários", fugindo do olhar de Silvinha, que, certamente, me fitava com desprezo, enquanto eu corria para o mar, onde saí nadando para esconder, na água salgada, o choro da vergonha.

Daí para a frente, foram humilhações sucessivas no futebol. Nunca integrei o primeiro time de nada no colégio de padres, nunca recebi uma taça, nunca arranquei poeira do chão com chuteiras masculinas e ferozes que rangiam em disputadas partidas, nunca conheci a alegria dos aplausos suados, descabelados, nas manhãs azuis dos padres jesuítas.

Nessa época, meu avô me levava ao Maracanã, ele, fantástico malandro carioca que era amigo de Danilo do Vasco, que morava na mesma rua do Méier. O estádio ainda era novo e tinha muitos amistosos. Creio que foi durante um jogo entre o Portsmouth inglês e uma seleção nacional que tive meu contato com o terror. Até hoje sinto o arrepio, quando vi que meu destino de perna-de-pau estava traçado, não só no futebol mas talvez na vida, pois percebi com pânico que, enquanto todo mundo na arquibancada olhava o jogo, eu olhava os torcedores olhando o jogo. Percebi que estava vendo suas reações, seus gritos e palavrões, seus olhos e bocas desdentadas atentíssimos ao campo, enquanto eu os observava de fora, como se fosse de outro planeta. (Os negros eram mais negros na época e quase ninguém tinha dente.) Essa sensação de estar "fora" sempre me acompanhou pela vida. Nessa época, como um mecanismo de defesa, passei a ostentar uma indiferença superior ao esporte, o que me cortava a emoção que eu invejava nos torcedores.

Até que um dia meu avô me levou para ver Vasco x Bangu, um clássico da época. Foi então que tive uma visão mágica e salvadora. No meio do jogo, de repente, um jogador mulato de camisa listrada de vermelho e branco arrancou numa corrida extraordinária, driblou vários "joões", deu chapéus nos *half-backs*, executando um balé de volteios ferozes e sutis como um cossaco dançante, levou a bola colada no pé, como um cachorrinho dócil, e colocou-a no canto da trave, sob o olhar abobalhado do goleiro. Nesse instante, fui tomado por uma funda emoção e entendi o que era arte. Não só do futebol – mas arte mesmo. Gritavam todos: "Zizinho, Zizinho!!!"... Eu tinha sentido a beleza de uma obra feita de ar, movimento, engano e dança, feita de fúria e delicadeza, de velocidade e lentidão. Por segundos, Zizinho me fez esquecer de mim mesmo e lembro com grande saudade que, por alguns segundos, eu fui como todo mundo, igual, perdido na massa pobre do tempo, sentindo a alegria da normalidade, sem medo, sem tremor, antes que a minha solidão melancólica viesse se reinstalar.

Muitos anos depois, eu assisti a uma entrevista de Pelé, em que ele declarou: "Nunca vi ninguém jogar tão bem quanto Zizinho!"

Nesse instante, Pelé se ligou a mim naquela tarde remota do Maracanã. Ele também vira o gênio. Eu me senti remido por Pelé, que é da minha idade. A partir daí, acompanho sua genialidade na vida e no campo. Ontem, fui ver o extraordinário filme de Anibal Massaini – *Pelé Eterno* – e senti a mesma coisa da infância, ao lado de meu avô, no Maracanã: esqueci-me de mim. Estava de novo diante da beleza que vi em Zizinho. Não estava assistindo a um jogador apenas. A sensação é o mesmo êxtase de se ver uma exposição de Picasso ou, sei lá, Shakespeare. Pelé não é apenas um atleta, é um escultor do ar, um grande poeta de gestos e músculos. Ele não busca só o gol, busca a felicidade da beleza. Ele viveu a vitória total e consola milhões de fracassados como eu, de quem tiraram a camisa verde e rubra do Ipiranga em minha trêmula infância de praia.

Resposta a uma moça 50 anos depois

OUTRO DIA, ESCREVENDO sobre meu passado, falei de uma menina da Urca que, de longe, eu considerava minha namorada, Silvinha, moreninha de olhos verdes. Dias depois, recebi um *e-mail* assim:

"Meu amigo Arnaldo,

Lisonjeada fiquei ao ler sua coluna de 29/06 pp. por me ver citada em suas reminiscências. Hoje, com 46 anos de casada, com dois filhos e dois netos, entristece-me pensar que a meninada atual não pode ter a infância livre e despreocupada que tivemos e, portanto, não terá as lembranças das peripécias próprias de cada fase. Ah, bons tempos! Agradecendo as citações, deixo aqui um saudoso abraço. Hoje, sou a 'grisalhinha' de olhos verdes.

Silvinha"

Fiquei emocionado com o *e-mail* e agora respondo.

Querida Silvinha,

Hoje, mais de 50 anos depois, vou dizer o que sentia por você. Você foi o que eu imaginava o que seria uma "namorada". Você despertou em mim um tremor novo, a primeira emoção do que mais tarde vi que chamavam "amor". Em uma tarde cinzenta, em frente ao portão de sua casa, eu senti uma alegria inesquecível como se tudo ali estivesse no lugar perfeito: a brisa leve da tarde, a paz da rua, o silêncio sem pássaros, você encostada no portão marrom do jardim. Não sei por que, senti uma felicidade insuportável, como se ouvisse o calmo funcionamento no mundo. Percebi confusamente que ali, no teu sorriso, ou olhos, ou boca, estava a explicação do sol filtrado em listras entre as folhas da árvore e a perfeição do som agudo que tirei da folha de fícus enrolada como uma flautinha vegetal, instrumento que hoje os garotos não conhecem mais.

Esse foi um momento que me ficou nos últimos 50 anos. Depois, uma brincadeira também esquecida: "casamento japonês", onde se escolhia uma menina a quem se perguntava: "Pêra, uva ou maçã?"; você disse "uva" e eu beijei timidamente seu rosto, sentindo-me, em seguida, voar por cima do seu jardim, vendo as casas da Urca lá embaixo. E, assim, você ficou de namorada oficial de minha infância imaginária.

Não sei por que, Silvinha, sempre tive fascinação por meninas que me deixavam arrebatado e com medo ao mesmo tempo, sempre de algum modo as meninas que me atraíam me pareciam inatingíveis, etéreas, como se fossem destinadas a outros e não a mim... e essa impossibilidade aumentava meu fascínio de pierrô.

Aliás, devo confessar hoje, 50 anos depois, que você não foi a única.

Márcia corria de bicicleta pela pracinha e só tinha olhos para o Porcolino e olhava com desdém sorridente para minha tentativa de alcançá-la na bicicleta, e eu via suas pernas sob a saia que ventava e a bicicleta parecia deixar um rastro de cometa de Márcia; também, mais tarde, ainda sem te esquecer, confesso que me apaixonei por Ciomara, que, percebendo meu interesse tímido, aplicou-se em me espezinhar, tendo eu sofrido muito vendo-a cantar provocativamente "Vivo esperando e procurando Cervantes no meu jardim", uma versão da música "Four-leaf clover", um sucesso na época, que ela adaptou para conquistar Cervantes, o belo *half-back* do time Arsenal. Ciomara me fez sofrer, vendo-a de mãos dadas com ainda outro, para espicaçar também Cervantes, não eu, debaixo dos *flamboyants* carregados de flores vermelhas.

Devo dizer também que fui crescendo e enlouqueci de um amor mais carnal por uma moça mais velha, Isadora, de pernas lindas no maiô roxo Catalina, alva, de boca rubra com muito batom. Daí para a frente, Silvinha, já adolescente, comecei minhas incursões pelo mundo do pecado, sempre instruído por meu professor de sacanagens, o saudoso pipoqueiro Bené, que você certamente conheceu, ele que me induzia às mais pecaminosas ações solitárias, dando-me revistinhas de mulher nua, ainda ingênuas, como *Saúde e Nudismo*, cheias de moças azuis, deitadas em praias remotas. Nessa época eu já vivia em Copacabana, na casa de meu avô, onde eu tinha mais liberdade que sob as ordens de mamãe. Lá no Posto Seis, no escuro dos cinemas, as primeiras namoradas se retorciam e se recusavam ao assédio a seus desejados peitinhos, me deixando enroscado em intrincados sutiãs cheios de presilhas e elásticos, que me impediam de chegar à maciez dos seios ocultos, enquanto tiroteios rolavam na tela e eu me embaraçava nas terríveis teias das alças, de onde saía desesperado com dores nos rins de tanto ardor insatisfeito.

Depois, Silvinha, continuei minha trilha pelos caminhos que se abriam para os jovens solitários daquela época: as casas de pecado do Catete, os famosos *rendez-vous*, o que me fez dividir as mulheres em "santas" e "prostitutas", ficando as santas como você em minha memória e as outras sendo fonte de erros e sofrimentos. Todas, então, santas e bruxas, eram intangíveis, todas impossíveis. Veja como se formavam os jovens nos anos 50 para o amor.

Não conversamos nunca, Silvinha, você nem soube que era minha namorada secreta, e vivemos esse meio século em mundos diversos. Você deve ter sido feliz, com filhos e netos, seguindo a trilha natural que saía do seu jardim, enquanto eu tive um caminho mais torto, sempre meio fora das coisas que eu via acontecer.

Tenho inveja das estradas largas e sadias e talvez eu tivesse sido mais feliz, se tivesse feito a Escola Naval como meu pai queria, e hoje fosse um orgulhoso almirante comandando cruzadores pelos mares do meu Brasil.

Mas não posso me queixar de nada, casei várias vezes, tive duas filhas e um filho maravilhosos, chorei muitas vezes de dor-de-corno e de desentendimento, mas não posso me queixar, pois, além do que vivi, vejo hoje que as memórias são tão sólidas quanto as realidades, que muitas vezes se esvaem mais rápido que aquelas. Você ficou como uma primeira sensação do que chamam "amor". E como diz o poeta: "...as coisas findas, muito mais que lindas, essas ficarão..."

Beijo tardio,

do Jabor.

De camisa amarela, volto aos grandes carnavais

CARNAVAL PARA MIM era o cheiro. Até hoje, quando penso nos carnavais do Rio da minha infância, lembro do cheiro do lança-perfume. O lança-perfume era tudo. Havia uns em vidro, frágeis como ampolas, mas o belo símbolo do carnaval era o Rodouro Metálico. Até hoje me irrita pensar que baniram esta linda arma da alegria do "tríduo momesco", como os barrocos cronistas chamavam o carnaval. Era um tubo dourado, grosso, que ejetava o fino jato de éter que gelava o dorso das odaliscas e havaianas adolescentes que se torciam em risos trêmulos. O perfume flutuava pelas avenidas e crescia como uma nuvem de felicidade salpicada de pontos coloridos de confete e rasgada por serpentinas, envolvendo tudo numa espécie de ar condicionado com flores invisíveis. Levávamos os tubos dourados como uma arma na mão e, com os lenços encharcados, cheirávamos o éter e delirávamos, tropeçando pelo salão, vendo o mundo girar, os tambores ressoando lentos e

surdos, a multidão passando numa ventania, os cantos misturados em uivos longínquos. Quando proibiram o Rodouro Metálico
– acho que foi na ditadura – alguma coisa se perdeu na alegria das
avenidas.

O carnaval foi deixando de ser dos "foliões" para ser um espetáculo
para os outros; o carnaval deixou de ser vivido para ser olhado, virou
uma horda de exibicionismos sexuais, uma suruba iminente sem o
sensual perfume do passado. Carnaval sempre foi sexo – tudo bem
– mas, antes, havia a suave caretice, uma moralidade mínima, havia
cortesia, havia clima de amor nos bailes e não a desbragada orgia. Hoje
há os corpos malhados, excessivamente nus, montanhas de bundas
competindo em falsa liberdade, pois ninguém tem tanto tesão assim,
ninguém é tão livre assim. Falta a celulite, falta o mau jeito, falta o
medo, a ingenuidade, o romantismo, falta Braguinha, falta Lamartine
Babo, falta Mario Lago.

Outro dia, vi, com êxtase, umas cenas em *technicolor* que o Orson Welles rodou no carnaval do Rio de 42. Como todos eram fraquinhos,
magrinhos, com as fantasias pobres, improvisadas... Mas, justamente
nesta precariedade estava um Brasil que foi se perdendo na monu-
mentalidade da ditadura, do "milagre" brasileiro, uma beleza simples
que sumiu "no turbilhão da galeria", como cantava a letra de "Camisa
Amarela", de Ary Barroso – síntese do velho carnaval popular.

O carnaval virou um produto. Por isso, eu tenho saudades das
marchinhas toscas que começavam a tocar nos rádios por volta

de dezembro, lembro das bobas fantasias – legionários, piratas, *cowboys* – influenciadas pelos filmes americanos, lembro da casa Turuna na cidade, com máscaras penduradas, morcegos, pretos velhos, fantasmas, lembro das escolas de samba a pé na avenida Presidente Vargas, um bando de índios de bigode e penas de espanador, pintados de preto, seguidos pelas gordas baianas cobertas de balangandãs, a multidão olhando, apanhando dos "casse-têtes" da PE, a temida Polícia Especial de boinas vermelhas e Harley-Davidsons.

Dirão meus inimigos: esse idiota está louvando o atraso. Estou sim. Naquele atraso havia ainda uma preciosa alma brasileira, um ritmo humano de esperança que se via não só no carnaval, mas no futebol, esperança que se via nos bondes, nos botecos, nos caixotes dos bicheiros nas ruas, nas cadeiras da calçada e até nas favelas líricas e sem droga.

Nossa fraqueza nacional devia ter sido curada por outros métodos; não pela violência das mudanças que a ditadura trouxe e que, depois, a globalização americana sacramentou. Não se desenvolve a delicada alma de uma cultura pela massificação indiscriminada. Voltarão meus inimigos: "Isso é o óbvio, outros já disseram." Mas, o óbvio tem de ser repetido.

O carnaval de hoje parece uma calamidade pública musicada por uma euforia desesperada e disputada pelo narcisismo oportunista de burgueses e burguesas se despindo para aparecer na TV. Para descobrir um carnaval mais puro, há que ir à Mangueira, às velhas-guardas, aos blocos-de-sujo das ruas pobres, aos *clowns* (clóvis) de Santa Cruz (ainda os há?). Não há mais músicas de carnaval. Notaram? Pra quê? Só há os corpos, as alegorias, as multidões enlouquecidas sem cabeça.

Tenho vontade de chorar quando lembro de um Brasil que estava seguindo seu rumo próprio, feito de toscos sambinhas, de permanências coloniais, de equívocos... e que de repente se viu jogado num progresso vertiginoso que não era o seu, num crescimento desconstrutivo e bruto.

Em matéria de saudades, sou nacionalista. Tenho vontade de botar uma camisa amarela, sair com um reco-reco e um pandeiro na mão e sumir no turbilhão da galeria da minha vida que já passou.

Suzane, 19 anos, bela e rica, matou por amor *

ESTE CRIME HORRORIZOU todo mundo. Até os assassinos na cadeia se chocaram. Mesmo no mundo do crime há uma ética a preservar, mesmo o pior criminoso tem um interdito moral. O crime de parricídio e matricídio premeditado durante o sono é mais que um crime; é uma viagem ao desconhecido, é o desejo de atingir um recorde supremo. Não há nada pior. Que delito Suzane e seus cúmplices poderiam considerar mais hediondo? Suzane está no topo, nada há além dela. Ela nos aterroriza com sua crueldade. Os dois monstros boçais ainda dá para entender: queriam grana, motocas e tatuagens, filhos dessa geração de *shoppings* e violência.

Ela, não. Precisamos encontrar explicações para ela, senão ficamos ameaçadíssimos. O crime sem motivo nos desorganiza. Se ela, jovem, bela e rica, matou, que será de nós?

*Suzane Louise Richthofen (19 anos) e seu namorado, Daniel de Paula e Silva (21 anos), foram acusados de assassinar os pais dela, em outubro de 2002. Segundo a jovem, ela matou os pais por eles não aprovarem seu namoro.

O crime sujo da favela apenas nos dá medo. O crime limpo e rico nos desampara, nos dá vertigem. Suzane nos leva à beira da loucura, mas ela não é louca. Então, ela matou por quê? – perguntamo-nos. Isso é que fascina e apavora no psicopata: ele toca em nosso mistério. Vizinhos e amigos sempre dizem: "Eram doces, educados, tímidos..." Até a hora em que metralham espectadores num cinema ou matam pai e mãe dormindo.

Por isso, os psiquiatras buscam "causas", como se a vida social fosse um contrato de bom senso, como se fôssemos animais racionais e a loucura, um "desvio". É o contrário: a sociedade é que é um desvio. Não adianta ter ódio de Suzane; não há punição que apague o seu crime, não há como pagar sua dívida. O inferno cotidiano que ela terá não apagará aquele momento, sempre além de qualquer entendimento.

Mas mesmo os psicopatas precisam de uma razão maior para justificar o crime. "Matei por amor...", diz a menina de 19 anos, fina, linda, universitária. No entanto, esse amor que a menina invoca é outro "amor". Ela e todos nós precisamos "justificar" esse crime. Ou seja, deve haver um motivo para se matar a mãe. Ela também precisa de um motivo, pois ela não sente culpa porque matou. Ela matou justamente para preencher um grande vazio em seu mundo interno, matou para atravessar um deserto afetivo, matou porque não sentia culpa, matou por vingança de não sentir culpa, matou até para tentar sentir alguma culpa, sentir até algum... amor.

Por isso, sua declaração nos apavora: "Matei por amor!" Matou, sim, por amor, para conseguir um pavoroso amor por que ela ansiava. Que estranho amor é esse?

Eu acho que ela buscava o "amor" da hora. É o amor que nos grita de dentro do comércio, de dentro do consumo, que nos chama de dentro de um narcisismo impossível de ser satisfeito, um amor que consome tudo, querendo uma felicidade absoluta, com a abolição de todos os vínculos, todas as barreiras do "Édipo", todos os deveres sociais. Suzane quis fazer um gesto imperdoável para sempre, absoluto, livre para sempre da condição humana, quis o sangrento incesto invertido com os pais deitados na cama onde ela foi (talvez?) feita.

Esse crime seria uma espécie de conquista de Poder, sim, o poder de estar acima dos sentimentos, da justiça, o poder de viver sem sociedade em volta, um poder maluco que vemos anunciado nas entrelinhas das ideologias de hoje, nas gargalhadas sem remorso nas revistas, na abolição descarada da compaixão, na promessa da satisfação total, na fome de ter "tudo". O poder de liberdade crua que Suzane almejou me lembra o poder que os Macbeth conquistariam, depois de "assassinarem o sono".

A frase da peça que mais me aterroriza é quando *lady* Macbeth, preparando-se para o crime, grita a Deus (ou ao demônio): "Unsex me!" ("Dessexualize-me!") Ou seja: "Tire de mim a bondade feminina, transforme-me não num homem, mas tire o sexo de mim, para que eu seja um ser livre da diferença, livre da condição humana dividida e me transforme num ser monobloco, com um desejo só."

Como seria o amor de Daniel e Suzane, "Romeu e Julieta" ao contrário, se tudo tivesse "dado certo"? Com os pais mortos, grana no bolso, garupa de motocicleta, os dois teriam uma espécie de fusão, de orgasmo contínuo, acima da vida, acima do cotidiano, pois ninguém mais poderia existir – só eles.

A sociedade está tão narcisista, tão excludente de qualquer solidariedade, tão brutal no seu desejo de satisfação, que contamina até os privilegiados. A pulsão de morte anda solta. Vivemos atacados pela brutalidade do noticiário, pelos homens-bomba, pela estupidez da cultura que gera batalhões de rapazes criminais, sem camisa, obcecados por uma felicidade de consumo impossível. Não somente as balas nos atingem, mas também a imensa boçalidade da cultura.

Suzane é psicopata, mas nossa sociedade também o é. Não há explicação para esse crime. Não adianta procurar causas, traumas. Esse crime ficará sempre em aberto. Misterioso, como nosso destino.

O amor dos anos 60

Eu sou do tempo em que as namoradas não davam. É. Estou eno-
jado dos dias de hoje, nesta torpe função de comentarista, em que
as notícias batem-me na cara como pedras. Estou cansado. Volto
ao passado, sugado por um túnel de *flashbacks*. Pois é; as namoradas não davam.

A pílula foi a maior revolução cultural dos anos 60, pois as meninas, com pavor de engravidar, deixavam quase tudo menos o
principal, e os rapazes iam para casa com dor nos rins e perpe-
travam masturbações feéricas, ejaculando nos banheiros como
foguetes à lua.

Os meninos de hoje vivem em haréns. Estes "pequenos canalhas"
que eu tanto invejo torcem o nariz para deusas de 18 anos, en-
tediados, enquanto, no meu tempo, quantas meninas eu tentei
empurrar para dentro de apartamentos emprestados, ficando

elas empacadas na porta, quantas unhas quebradas em sutiãs inacessíveis, quantas palavras gastas em cantadas intermináveis, apelando para Deus, para Marx, para tudo, desde que as saias caíssem, as blusas se abrissem, as calcinhas voassem. Não havia motéis, então.

Namorávamos em qualquer buraco: terrenos baldios, cantos da praia de noite; eu confesso que já "amassei" uma namorada dentro de uma grossa manilha encalhada na praia de Ipanema. Os carros eram poucos e deixavam um rastro de silêncio depois que passavam. Havia menos gente. Acontecia menos coisas. As pessoas eram mais individualizadas – fulano, sicrano, rua tal, número tal, bar tal, comida tal, um dia depois do outro... Havia tempo para o tempo passar.

Mas deixemos de filosofias e fiquemos na sacanagem. Minha primeira namorada não era mais virgem. Era uma raridade. Era uma morena febril, agressiva, que dirigia uma Rural Willys do pai. Eu, que vivera até então na horrenda divisão entre puteiros e romances líricos, entre lágrimas e baldes de despejo, achei que ia começar meu primeiro amor adulto.

Mas acontece que minha namorada resolvera reconstituir sua virgindade, recusando-se a perpetuar comigo seu "erro" do passado. Arrependera-se de ter cedido uma única e sangrenta vez ao "canalha" que me antecedera e, depois de lágrimas em confessionários, resolvera manter sua pureza intacta.

Para mim, foi um calvário de desejo insatisfeito. Na Rural Willys do pai dela, quase tudo era permitido, mas tudo sôfrego, apavorado, desespero e gozos no ar, ejaculações no painel – nada terminava. O apartamento era a grande esperança; se a menina entrasse, depois era mole. O problema era entrar.

"Não, não adianta, Arnaldo, aí eu não entro!..." Eu, jovem comuna, tinha a chave de um "aparelho" secreto do Partidão, ali na rua Djalma Ulrich, com um sofá-cama rasgado com o algodão aparecendo, onde eu, da "base" cultural da UNE, tentava levar, sem sucesso, menininhas de esquerda, com triplo medo: sentimento de culpa, medo de broxar e de ser apanhado pelos comunistas caxias.

"Não. Aí eu não entro!", gemia minha namorada. Eu tentava argumentos que iam de Sartre e Simone até a revolução. "Mas, meu bem... deixa de ser alienada... A sexualidade é um ato de liberdade contra a direita..." E ela: "Não entro! Isso seria também uma indisciplina pequeno-burguesa."

"Mas, meu anjo", eu suplicava, "não há essência, só existência..." "Inclusive", disparei, "você tem que assumir que não é mais virgem!" E ela, com boca de nojo: "Eu sabia que você ainda ia jogar isso na minha cara!!!" E fugia pelas escadas.

O medo era a barriga, medo que a pílula matou anos depois, mas era medo também de um labirinto de liberdades assustadoras, de apego a vestidos de debutantes, organdi branco, a véus de noiva esvoaçando nas almas românticas.

Ninguém dava. As poucas que o faziam eram apontadas pelos rapazes, com suspeita, um respeito desconfiado. Quantos teriam coragem de casar com elas? Lembro de uma menina da universidade que entrava num transe meio epiléptico, de olho virado em alvo, que "dava" num sacrifício ritual de gritos e choros do qual acordava sem lembrar de nada... Era um sucesso entre comunas caretas, uma espécie de "louca da aldeia". Por isso, homens falando em "liberdade" viviam em *rendez-vous* e em aventuras com mulheres casadas, infelizes matronas (uma que levei ao "aparelho" chorava pelo marido militar e gemia de vingança: "Ele odeia comunistas... ahh... se ele soubesse...").

Ou então eram pobres empregadas carentes, lúmpens de rua (como se dizia); um companheiro nosso papou até uma cega do Instituto Benjamin Constant. E havia também o recurso a mulheres turistas e estrangeiras. Um comuna amigo meu traçou uma funcionária do Consulado americano, a quem ele obrigava a chamá-lo de Fidel Castro (esse já foi até ministro...).

Tudo era complicado, proibido, ao som do *rock* e bossa nova. Éramos assim em 1962.

Aos poucos, melhorou... Em 63, conheci minha primeira grande paixão, minha vertigem e cegueira, pois, antes da pílula e sem recuos, ela adentrara gloriosamente o "aparelho" secreto do Partidão na rua Djalma Ulrich e, em meio a livros da Academia de Ciências da União Soviética, sob um pôster de Lenin e uma reprodução dos *Girassóis* de Van Gogh, "dera" para mim com amor e coragem. Foi um raio de triunfo em minha juventude. Lembro até hoje que, lá embaixo, na loja de discos, tocava o sucesso da época, "Chove chuva, chove sem parar...", com Jorge Ben (ou seria "Bicho do mato"?).

Não sei. Mas até hoje guardo na alma aquela tarde mágica e revolucionária de 63, com música do Jorge ao fundo, com a mulher com quem vivi até 69, ano em que ela resolveu me abandonar por outro, quando o grande sucesso musical era também de Jorge Ben: "Sou Flamengo e tenho uma nega chamada Thereza...", o que fazia esse jovem comuna chorar pelas ruas, ao ouvir seu nome nos rádios e nas esquinas...

Nossos dias melhores nunca virão?

ANDO EM CRISE, numa boa, nada de grave. Mas, ando em crise com o tempo. Que estranho "presente" é este que vivemos hoje, correndo sempre por nada, como se o tempo tivesse ficado mais rápido do que a vida, como se nossos músculos, ossos e sangue estivessem correndo atrás de um tempo mais rápido.

As utopias liberais do século XX diziam que teríamos mais ócio, mais paz com a tecnologia. Acontece que a tecnologia não está aí para distribuir sossego, mas para incrementar competição e produtividade, não só das empresas, mas a produtividade dos humanos, dos corpos. Tudo sugere velocidade, urgência, nossa vida está sempre aquém de alguma tarefa. A tecnologia nos enfiou uma lógica produtiva de fábricas, fábricas vivas, *chips*, pílulas para tudo.

Funcionar é preciso; viver não é preciso. Por que tudo tão rápido? Para chegar aonde, para gozar sem parar? Mas gozar como? Nossa vida é uma ejaculação precoce. Estamos todos gozando sem fruição, um gozo sem prazer, quantitativo. Antes, tínhamos passado e futuro; agora tudo é um "enorme presente", na expressão de Norman Mailer. E esse "enorme presente" nos faz boiar num tempo parado, mas incessante, num futuro que "não pára de não chegar". Antes, tínhamos os velhos filmes em preto-e-branco, fora de foco, as fotos amareladas, que nos davam a sensação de que o passado era precário e o futuro seria luminoso. Nada. Nunca estaremos no futuro. E, sem o sentido da passagem dos dias, de começo e fim, ficamos também sem presente. Estamos cada vez mais em trânsito, como carros, somos celulares, somos circuitos sem pausa, e cada vez mais nossa identidade vai sendo programada. O tempo é uma invenção da produção.

Não há tempo para os bichos. Se quisermos manhã, dia e noite, temos de ir morar no mato.

Há alguns anos, eu vi um documentário chamado *Tigrero*, do cineasta finlandês Mika Kaurismaki e do Jim Jarmusch, sobre um filme que o Samuel Fuller ia fazer no Brasil, em 1951. Ele veio, na época, e filmou uma aldeia de índios no interior do Mato Grosso. A produção não rolou e, em 92, Samuel Fuller, já com 83 anos, voltou à aldeia e exibiu para os índios o material colorido de 50 anos atrás. E também registrou, hoje, os índios vendo seu passado na tela. Eles nunca tinham visto um filme e o resultado é das coisas mais lindas e assustadoras que já vi.

Eu vi os índios descobrindo o tempo. Eles se viam crianças, viam seus mortos, ainda vivos e dançando. Seus rostos viam um milagre. A partir desse momento, eles passaram a ter passado e futuro. Foram incluídos num decorrer, num "devir" que não havia. Hoje, esses índios estão em trânsito entre algo que foram e algo que nunca serão. O tempo foi uma doença que passamos para eles, como a gripe. E pior: as imagens de 50 anos é que pareciam mostrar o "presente" verdadeiro deles. Eram mais naturais, mais selvagens, mais puros naquela época. Agora, de calção e sandália, pareciam estar numa espécie de "passado" daquele presente. Algo decaiu, piorou, algo involuiu neles.

Lembrando disso, outro dia, fui atrás de velhos filmes de 8mm que meu pai rodou há 50 anos também. Queria ver o meu passado, ver se havia ali alguma chave que explicasse meu presente hoje, que denunciasse algo que perdi, ou que o Brasil perdeu... Em meio às imagens trêmulas, riscadas, fora de foco, vi a precariedade de minha pobre família de classe média, tentando exibir uma felicidade familiar que até existia, mas precária, constrangida; e eu ali, menino comprido feito um bambu no vento, já denotando a insegurança que até hoje me alarma. Minha crise de identidade já estava traçada. E não eram imagens de um passado bom que decaiu, como entre os índios. Era um presente atrasado, aquém de si mesmo. A mesma impressão tive ao ver o filme famoso de Orson Welles *It's All True*, onde ele mostra o carnaval carioca de 1942 – únicas imagens em cores do país nessa década. Pois bem, dava para ver nos corpinhos dançantes do carnaval sem som, uma medíocre animação carioca, com pobres baianinhas em tímidos meneios, galãs fraquinhos imitando Clark Gable, uma falta de saúde no ar, uma fragilidade indefesa e ignorante daquele povinho iludido pelos burocratas da capital. Dava para ver ali que, como no filme de minha família, estavam *aquém* do presente deles, que já faltava muito naquele passado.

Vendo filmes americanos dos anos 40, não sentimos falta de nada. Com suas geladeiras brancas e telefones pretos, tudo já funcionava como hoje. O "hoje" deles é apenas uma decorrência contínua daqueles anos. Mudaram as formas, o corte das roupas, mas eles, no passado, estavam à altura de sua época. A Depressão econômica tinha passado, como um grande trauma, e não aparecia como o nosso subdesenvolvimento endêmico. Para os americanos, o passado estava de acordo com sua época. Em 42, éramos carentes de alguma coisa que não percebíamos. Olhando nosso passado é que vemos como somos atrasados no presente. Nos filmes brasileiros antigos, parece que todos morreram sem conhecer seus melhores dias.

E nós, hoje, nesta infernal transição entre o atraso e uma modernização que não chega nunca? Quando o Brasil vai crescer e chegar a seu "presente"? Chego a ter inveja das multidões pobres do Islã: aboliram o tempo e vivem na eternidade de seu atraso. Temos a utopia de que, um dia, chegaremos a algo definitivo. Mas ser subdesenvolvido não é "não ter futuro"; é nunca estar no presente.

Entre o celibato e o casamento, o coração balança

Outro dia, d. Paulo Evaristo Arns declarou-se a favor do celibato opcional para os padres. Mas seria difícil a vida de um padre casado. Além de servir a Deus, ter de cuidar do lar. Imaginemos um padre casado.

– Chegou tarde hoje, hein! – disse dona Silvaneide, mulher do padre, morena, seios fartos, fogosa, ex-dançarina de pagode, depois arrependida, depois beata, acendedora de velas do altar e amante do pároco, hoje casada com ele.

– Meu anjo... essa época de Natal é difícil... mais de 30 confissões...

– Confissão, o cacete!... Você fica ouvindo aquelas sacanagens ali no confessionário e depois vai se encostar naquela filhinha de

Maria que ajuda na sacristia... a tal de Abigail, com aquela carinha de sonsa, beijando sua mão... Não sou cega não, meu filho...

– Estava trabalhando por dinheiro... mulher... já entrei no cheque especial... o bispo me prometeu um extra por confissões em cascata... É incrível... os pecados estão mudando... o que tem de corrupção, de cheques sem fundo... Não há mais pureza ou arrependimento... só sexo sem culpa...

– É aí que você gosta, não é?... Se excita mais com a "santinha" da sacristia...

– Meu bem, nem tenho forças... só penso em você... e nas contas a pagar...

– (Chorando.) Você não me ama mais... (Ela se ajoelha, lágrimas jorram.)

– Meu amor... nada disso... olha... vamos sair... se eu tivesse dinheiro, te levava ao Crazy Love, aquele motel novo... mas... olha, vou mostrar que te adoro, agora!... Vai pro quarto! Prepara-te para receber o sagrado sacramento do matrimônio!...

– (Debochada.) Que milagre é esse? A gente não transa desde a Páscoa... Agora não quero. Nosso problema é dinheiro... Você podia pegar umas esmolas daquele cofrinho; o sacristão não fazia isso?

– Eu sou um servo de Deus! Quer que eu seja ladrão? Acordo às cinco da manhã... às seis já estou rezando missa. A igreja está quebrada; com a crise, ninguém dá mais esmola... Eu tenho de varrer a sacristia... Vou comprar as flores mais baratas lá no Jacarezinho, de ônibus, para enfeitar os casamentos e batizados, que são as únicas graninhas que eu descolo... e ainda tenho de ouvir os xingamentos do bispo, que está com Alzheimer e pensa que eu sou o Satã... Vive me exorcizando... Você pensa que é fácil? Pensa? Me dá até vontade de voltar ao celibato, ficar trancado na clausura, vendo a Xuxa na TV e chorando pra Jesus... é melhor... Olha, Silvaneide, eu me orgulho de ser honesto!...

– Você não é honesto, não... Você é burro. Vamos acabar na "rua da amargura"... Não estamos mais na época de São Francisco não... É mercado global, meu filho... Era do espetáculo... Por que os evangélicos estão com esse sucesso todo?... Porque são espertos... descolam aqueles dez por cento ali dos otários... numa boa... cantam... dançam... *Show business!* Ontem mesmo, teu filho falou que... Aliás, ele anda com uns caras estranhos, cabeça raspada, tatuagem... ele diz que é "anjo do inferno"... Sei lá o que é... Mas ele disse assim, na minha cara: "Papai é otário... Veja o bispo Macedo... tem TV... milhões... tudo... Eu vou entrar para a Igreja Evangélica... Dá um granão...!" A única pessoa que tem dinheiro aqui é a tua filha... que, aliás, vive em baile *funk*... diz que é pozuda... não sei onde ela arranja tanta grana...

(O padre cai chorando na poltrona esfarrapada com a mola aparecendo.)

– Deus do céu!... Isso é um inferno!... (Soluçando.) Ontem cheguei...
e a empregada estava cantando uns pontos de macumba com a co-
zinha cheia de velas... Umbanda na casa do padre? E a vizinhança
ouvindo: "Evém, evém, Oxóssi atravessando as matas!" Tem cabimento? Despede ela, já!

– Eu? Despedir?... Nunca!... Empregada boa é difícil de achar... Depois, sei lá, roga aí uma praga... (Ele chora mais alto; ela se condói.)

– Meu querido... não quero te humilhar não... mas você tem de ter
ambição... Quer ver uma idéia boa? Vamos abrir uma lojinha de objetos sacros... reliquiazinhas... água benta... a gente compra as garrafinhas e você benze... você não pode benzer? Ai, que lindo... a gente
ganhava um dinheirão... santinhos... gravuras... CDs de música...

– Minha filha... eu não sou comerciante...

– Ahh... imagina, querido... uma lojinha linda, cheia de velinhas e,
na porta, o nome: Presentes de Deus ou então... o nome em inglês,
mais moderno: *God's Gifts*... ahh... Você subiria na carreira; já ima-
ginou você bispo ou... oh, sonho louco!... você, cardeal... Nós dois
em Roma... Você todo de vermelho... chiquérrimo... Nós, íntimos do
papa?...

– Silvaneide... ouve... ouve bem... eu tenho um segredo para te contar... Eu pensei muito, passei noites em claro e resolvi...

– Resolveu o quê, vai me largar?...

– Não, querida, ouve!

(O pobre sacerdote começa a dançar, com os braços para cima e dando pulinhos pela sala.)

– Que é isso? Enlouqueceu?

– Silvaneide... minha filha... bata palmas para Jesus!!! (Chorando e rindo.) Palmas para o Senhor, Silvaneide... Aleluia!! Estou aprendendo a dancinha do padre Marcelo Rossi!... Olha só... (O pároco-marido pulava e batia palmas, berrando.) "Palmas para Jesus... ôôôô... palmas pro Senhor!" A Abigail, que você odeia, está me ensinando... olha só... (E pulava feito uma pererreca do Senhor.) Palmas para Jesus!!!

E, então, dona Silvaneide, ex-pagodeira arrependida e ex-beata apaixonada, viu de novo o seu amor ali, pulando e cantando e agarrou-se feliz ao corpo do padre amado.

– Meu amor!... Esse é meu homem! Vamos vencer! Já te vejo pulando diante de milhares de fiéis... vou fazer uma batina dourada pra você, com uma capa de roqueiro... Meu Rossi, meu Ozzy Osbourne, meu Xandi, meu Zeca Pagodinho... Deus é mais!!!

É, D. Paulo, talvez o celibato seja mesmo melhor que o casamento.

O amor deixa muito a desejar

Fui ver o lindíssimo filme do Pedro Almodóvar, *Fale com Ela*, e saí pensando num conto de Carson McCullers, onde um homem conta que, antes de amar de novo uma mulher, ele estava aprendendo a amar as pedras, as árvores, as nuvens... Nesse grande filme de Almodóvar, vemos amores raros, feitos de entrega, feitos de compaixão, como uma "doação ilimitada a uma completa ingratidão", como escreveu Drummond, aliás, o poeta do amor impossível, que é o único e verdadeiro amor.

O amor já teve um toque sagrado, a magia de uma inutilidade deliciosa, já foi um desafio ao dia-a-dia que nos tirava da vida comum. Não existe mais o amante definhando de solidão, nem romeus nem julietas, nem pactos de morte, não existe mais o amor nos levando para uma galáxia remota, a uma eternidade semi-religiosa. O amor tinha uma fome de compaixão pelo outro, de proteção à pessoa amada. Isso está acabando. O ritmo do tempo atual acelerou o amor, o dinheiro contabilizou o amor, matando seu mistério impalpável. Hoje, temos controle, sabemos por que "amamos", temos medo de nos perder no amor e fracassar no mercado. O amor pode atrapalhar a produção.

Por isso, o filme de Almodóvar é tão belo e oportuno. Temos de fazer filmes assim, cheios de amor, sem efeitos, sem denúncias. O amor perdeu a gratuidade, as pessoas "amam" por desejo de ter um amor que não sentem mais. O amor não tem mais porto, não tem onde ancorar, não tem mais a família nuclear para se abrigar, não tem mais a utilidade do sacrifício pelo "outro". O amor ficou pelas ruas, em busca de objeto, esfarrapado, sem rumo. Não temos mais músicas românticas, nem o lento perder-se dentro de "olhos de ressaca", nem nas "pernas de fulana", nem temos as bocas beijadas por amantes *tutti tremanti*, nem o formicida com guaraná. Não se diz mais: "Deus sabe quanto amei!...", mas "Deus nem sabe quantos(as) amei...".

A publicidade devastou o amor, falando na "gasolina que eu amo", no sabonete que faz amar, na cerveja que seduz. Há uma obscenidade flutuando no ar o tempo todo, uma propaganda difusa do sexo impossível de cumprir. Como comer todas as moças da *lingerie* e do xampu, como atingir um orgasmo pleno e definitivo? A sexualidade é finita, não há mais o que inventar. Já o amor, não... O amor vive da incompletude e esse vazio justifica a poesia da entrega. Ser impossível é sua grande beleza. Claro que o amor é também feito de egoísmos, de narcisismos mas, ainda assim, ele busca uma grandeza – mesmo no crime de amor há um terrível sonho de plenitude. Amar exige coragem e hoje somos todos covardes.

O amor passa a buscar não mais uma entrega, mas um domínio. O amor vira um objeto de consumo, *fast love*, com obsolescência programada para durar pouco. O amor deixa muito a desejar. Em geral, o amor existe hoje como uma espécie de adoçante para justificar, legitimar uma tesão ou uma conquista. Os amores duram três edições de *Caras*. Os casais se permutam num troca-troca rápido e quantitativo. As próprias mulheres estão virando "D. Juans". Vejam o périplo de jovens atrizes que vão comendo, um por um, os modelos que surgem nas revistas, elas, que deviam se manter damas inatingíveis para pálidos quixotes românticos.

Estamos com fome de amor cortês, num mundo em que tudo perdeu aura. O terrível bombardeio que a cultura americana está fazendo nos sentimentos é invisível, mas é pior que as bombas contra o Iraque. A cultura americana está criando um "desencantamento" insuportável na vida social. Tudo é tolerável, num arrasamento de mistérios. Vejam a arte tratada como algo desnecessário, sem lugar, sem uso, vejam as mulheres amontoadas na Internet, nuas, com números – basta clicar e chamar. Estamos com fome de infinito em tudo, na vida, na política, no sexo. Por isso, o filme de Almodóvar, cheio de compaixão sussurrada, parece um segredo religioso, uma saudade inexplicável de alguma coisa que existe "aquém", antes da vida.

Nos anos 60, liberdade sexual foi uma questão política. Hoje, podemos tudo, podemos casar até com jacarés ou macacas, sem escândalos, desde que não prejudique a produção. Mas o que invisivelmente está virando uma nova necessidade política é o amor e seus subprodutos: compaixão, paz, justiça. Ninguém está agüentando mais somente "utilidade" e "desempenho", poder e sucesso. Estamos virando coisas. Precisamos aprender a amar de novo as pedras, as árvores, as nuvens, até chegarmos a nós mesmos... E acho que isso vai surgir na América, como foi nos anos 60 – a luta pelos direitos civis será agora a luta pela beleza da inutilidade.

Onde estão os *hippies*, agora que precisamos deles?

ONDE ESTÃO OS *hippies*? Melhor dizendo, onde estão os movimentos alternativos neste mundo careta? "Será que a vida vai ser sempre estes *cappuccinos frappés*? Estas opções na Bolsa, estes fluxos de capital, estes implantes de seios, por toda a eternidade?", pergunta na Internet, R.U.Sirius, o fundador da ciber-revista *Mondo 2000*. Isto despertou a "boneca filosófica" em mim. Ou pare, ou leia até o fim.

Eu estava em Londres, em 1967, quando saiu o disco dos Beatles "Sargent Pepper" e lembro que havia em Kings Road uma espécie de comício dissolvido nos olhares, nos sorrisos das pessoas, uma palavra de ordem flutuava no vento, *blowing in the wind*, como cantava o Bob Dylan. O mundo careta tremia, ameaçado de um lado pelo perigo do comunismo e, de outro, pela alegre descrença que os *hippies* traziam. O capitalismo rosnava de humilhação, condenado por fora e por dentro, como sistema injusto de produção e como repressor da sexualidade. Hoje, mudou tudo. Que aconteceu afinal no mundo, já que só nos restou esta muralha corporativa, este exército de executivos globais vorazes que, aqui em Nova York, ficam mais visíveis? O que houve no mundo foi o fim do sonho da unidade, o fim da possibilidade de uma "grande narrativa" – como dizem os pós-modernos, cínicos e felizes com o alívio da obrigação de qualquer grandeza. O que acabou foi a idéia de "UM". Acabou o anseio totalizante de se achar uma única resposta, desejo antiqüíssimo de tudo reduzir a um símile do corpo humano, de modo que a sociedade funcione como um organismo sob controle. Isto se deu não só com o socialismo real, mas com o próprio capitalismo. Depois da queda do Muro de Berlim, a arrogância dos USA, em sua crença de que uniriam o mundo todo numa grande "mcdonaldização" da vida também caiu por terra, com o vexame neoliberal da Ásia, Rússia etc... O *american way* esbarrou nas diferenças culturais, na inércia da miséria, na solidez das superstições, na tradição teocrática de tantas culturas, no ódio racial entre balcânicos, na infinita fragmentação do mundo, no crescimento populacional. O que morreu não foi o socialismo nem o hippismo; o que morreu foi a racionalidade de planejamento. O paradoxo é que o mundo se globaliza em economia, mas se "balcaniza" em ilhas culturais e psicológicas; melhor que "Ilhas", que dão idéia de unidades celulares, o mundo se "desunifica" em esponja, em vazios, em avessos, em buracos brancos que vão se alargando à medida que o tecido da sociedade "contínua" se esgarça. Não são "células de resistência", mas "buracos de desistência". Temos a sensação da caracterização do mundo, mas já há uma virtualização das reações alternativas, há uma revolução melancólica, muda, rolando nas bocas do mundo. Já existe um "neo-hippismo cibernético" visível na Internet. Se acessarmos, por exemplo, o *site* "www.disinfo.com", veremos que a desesperança de mudar o mundo já está parindo seus filhos alternativos. Milhões de "manos" cibernéticos acessam irreverentes e excêntricos *webzines*, que têm mais sofisticação e inconformismo que o festival de Woodstock. Estes movimentos não têm líderes utópicos, como nos anos 60. Nestes *sites*, podemos ver *chats* de psicodélicos alquimistas falando de biotecnologia, profetas de religiões comparadas e textos de literatura visionária, escondidos ali no coração da América "corporativa" e usando seus aparelhos. Todos estes movimentos (seria melhor dizer "espasmos"?) – todos estes espasmos de defesa contra a corporativização do mundo são afásicos não por ignorância, mas por escolha. Odeiam o lero-lero ideológico e não se explicam nem a si mesmos; não têm manifestos e, no entanto, todos se "unem" (ó desejo de tudo englobar do qual não me livro!...) na recusa a levantar bandeiras, de garantir certezas, de conciliar com uma razão organizacional. Diante deles, os heróis dos 60 ficam com cacoetes "de época" dos pioneiros ingênuos. Eles trabalham com o humor, com o ceticismo visceral, com a paranóia organizada em teorias conspiratórias inverossímeis, mas não fazem isso com desejo de convencer ninguém. Há uma tribalização de grupos, sem proselitismo, há uma recusa ao mundo em denunciá-lo, mas aceitando-o como algo irremediável. Por dentro de seu luto, as tribos se desenham. O que os *slackers* ou os góticos ou os *rastas* ou os *ravers* querem é alcançar uma identidade alternativa. Como diz o R.U. Sirius, na Internet: "Este tribalismo apolítico é autoperpetuante. Quando você estava querendo derrubar a 'Amerika' o seu grito era: 'Marche conosco!' Mas quando você quer manter uma identidade original, a popularização pode ser até uma ameaça ao seu segredo." As tribos não querem a adesão de todos, pois elas não almejam o poder, almejam não tê-lo. Se antes a idéia de alienação era condenável, hoje a alienação é aquilo que se deseja alcançar.

Mas, você pode perguntar, ingênuo sessentista, por que, então, eles não mudam o mundo? Bem, primeiro eles não são burros e sabem que a sociedade hoje, com sua delirante complicação, não se presta a oposições simplistas ou otimismos fáceis. Diz Sirius: "Se antes, havia a polarização de ideologias em oposições binárias, pretos contra brancos, socialismo *versus* capitalismo, isso vinha da idéia de 'sistema e contra-sistema', de cultura e contracultura." Tudo era banhado pela luz vertical e orwelliana das televisões massificadas, de uma mídia centralizada, buscando uma narrativa única. Vemos hoje que a distopia iluminista de Orwell foi depassada pelos restos podres do mercado e pela anomia (e anemia) de qualquer projeto totalitário. Que teremos no futuro? Na boa? Acho que teremos os terrorismos islâmicos, bombas de destruição em massa que cabem nos bolsos, escassez econômica, extermínios e um vaivém de fascismos nas nações emergentes. No mundo central, teremos fria competência no *main stream* e "esponjas alternativas" na periferia.

As novas tribos de jovens pagãos não têm deus de esquerda ou de direita. Se antes eles professavam subculturas totalizantes, através de orientalismos bobos ou "holismos" diversos, hoje eles foram substituídos por brilhantes programadores de computação, *hackers* e plantadores de vírus, antropólogos de um absurdo que divulgam através, por exemplo, das "TAZ" ou "ZTA"s (Zonas Temporárias de Autonomia). Eles têm festivais "secretos" como o "Burning Man" em Nevada ou Lollapalooza. Estas tribos estão partindo para uma prática "nietzschiana" espontânea, pela produção de uma "arte-de-vida" (ou "vida-arte"), dividindo-se em dois grupos aparentemente antagônicos mas absolutamente coincidentes: nos que acreditam em tudo por escolha, em gnomos, em deuses, conspirações e alienígenas e naqueles que não acreditam em absolutamente nada. Dizia Borges: "A esperança é o mais sórdido dos sentimentos." Hoje, a desesperança total está parindo novas formas larvais de miseráveis, que têm de inventar formas de sobrevivência, são como os índios, são como os loucos. É o que nos restará: os buracos esgarçados por entre a solidez paranóica das corporações globais, estragando, como um terrorismo mudo, sua eficiência sinistra. Aquele abraço, se você me leu até o fim.

As celebridades fervem no caldeirão da loucura

LOUCURA TEM ÉPOCA. No fim do século XIX, as mulheres se contorciam em ataques histéricos, pela repressão vitoriana. A paranóia se espalhou entre as duas guerras mundiais. O desespero e o absurdismo, o niilismo tomaram o mundo pensante após a Segunda Guerra, porque depois de Auschwitz tudo era possível. Qual será a loucura típica de hoje, aqui e no mundo? Aqui no Brasil, a loucura de hoje é imperceptível. Este clima geral dispersivo, pagodeiro, gargalhante, desreprimido parece liberdade, mas não é. Já escrevi aqui sobre isso, mas volto ao assunto pois a novela do Gilberto Braga, *Celebridade*, atualizou o tema.

Temos hoje liberdade para desejar o quê? Bagatelas, mixarias. Uma liberdade vagabunda, para nada, para rebolar o rabo nas revistas, uma liberdade "fetichizada", produto de mercado e até mesmo disfarçada de revoltas "de festim": êxtases volúveis, visíveis em *clubbers* e *punks* de butique. Somos livres dentro de um chiqueirinho de irrelevâncias, buscando ideais como a bunda perfeita, recordes sexuais, próteses de silicone, sucesso sem trabalho, substituição do mérito pela fama. Não precisamos fazer ou saber nada; basta aparecer. Se antes havia excesso de ideologias, hoje somos todos um bando de frívolos patetas, como crianças brincando num *shopping*. Esta infantilização cultural da mídia e do cotidiano se dá simultaneamente com o mundo entrando num parafuso de tragédias sem solução, como uma Disneylândia cercada de homens-bomba. Não é estranho?

Já vivi vários tipos de loucura. Conheci a loucura utópica pré-64, quando achávamos que o Brasil ia virar magicamente uma grande Ipanema, o que culminou com a porrada militarista. Depois, veio o trauma grave de 68. Você podia morrer torturado, se um síndico-general do seu edifício cismasse com sua cara. O desespero da juventude, nesses anos, é irreprodutível. Só quem viveu. A mistura de angústia, drogas, misticismo, contracultura sem flores *hippies*, perigo de morte gerou ao menos uns sete anos de horror. Outro dia vi um filme *underground* da época que se passava todo dentro de um chiqueiro, com o ator comendo excrementos. Esse era o espírito do tempo... o *Zeitgeist* de merda.

Aí, a ditadura acabou, voltou a democracia, somos "livres" e então? A base de nossa piração atual é a clareza de que não dá para fazer quase nada na política. A marcha das corporações, a lógica *in-humana* das coisas, o determinismo das forças produtivas estão mandando em nosso destino. Tudo fica gratuito, diante da irrelevância da ação humana sobre a sociedade. A razão cínica do "pode tudo" é um disfarce para o consumo indiscriminado de produtos. As coisas já mandam em tudo, como a invasão das bolhas assassinas, num filme B de terror.

O futuro virou uma promessa de aperfeiçoamento de produtos, com uma velocidade que fez do presente um arcaísmo em processo, uma espécie de passado "ao vivo" em decomposição. A democracia em país analfabeto trouxe a fabulosa ascensão livre da cretinice nacional; viramos um grande "pagodão" e não adianta racionalizar e dizer que é "legal". Não é. É uma bosta. A literatura está dividida em *best-sellers* de um lado e tediosos bisnetos de Joyce, patéticos e ignorados, de outro.

As paixões passaram a durar o tempo entre duas reportagens de *Caras*. O amor é um pretexto para a orgia de troca-trocas narcisistas. O casamento virou um arcaísmo careta. O sexo, uma competição de eficiência. Onde está a sutileza calma dos erotismos delicados? Onde, o refinamento poético do êxtase? Nada. No sexo, o desejo é virar máquina e atingir o desempenho perfeito, o orgasmo definitivo.

Até criticar o erro do mundo ficou ridículo. A arte ficou ridícula, inócua, pregando num deserto de instalações melancólicas que ninguém vê. O cinema virou um "titanic", um *video game*, com guetos de "independentes" queixosos. Os artistas não têm mais nem o consolo do pessimismo clarividente, do absurdismo iluminista de um Beckett ou Camus. Não há esperança nem na desesperança crítica. O absurdo ficou óbvio demais para ser condenado, superou o mais terrível pesadelo surrealista.

O velho passado é um museu de inúteis curiosidades históricas. Tudo tem de ser "novo", sem tempo de envelhecer. A isso, soma-se a sensação de que as nações não controlam mais seu destino, de que somos barquinhos à deriva no mar das corporações, de que a vida é um subproduto do balanço das companhias. E, ainda por cima, aqui no Brasil, temos a brutal resistência do atraso patrimonialista e oligárquico. O mal ficou banalizado e o bem, um luxo ridículo, quase uma vaidade, um *hobby*. Estamos nos acostumando a isso. Pior que a violência é o acostumamento com a violência. Não é nem cinismo; é tédio. Há um sentimento difuso de que não podemos fazer nada, o que gera o sucesso dos evangélicos tipo Igreja Universal e o perigo de populismos fascistóides.

Restam algumas esperanças. Lá fora, poderá haver um movimento forte de autocrítica dentro dos USA. A denúncia da mentira da globalização poderá ser um movimento internacional, com as massas em busca de outros valores. Essa revisão crítica aconteceu nos anos 60/70 e poderá se repetir, se começar nos USA.

No caso do Brasil, tinha de haver um grande movimento de denúncia e combate da sordidez da indústria cultural, da exploração das superstições, dos horrores culturais que vemos nas televisões. Não podemos continuar aceitando tudo, num conformismo cínico e individualista.

Nunca acreditei muito em Papai Noel

"NATAL, NATAL – bimbalham os sinos!" Sempre tive vontade de começar um artigo assim. O Rubem Braga dizia que há certas frases que demitem jornalistas. Esta é uma.

O Natal me deixa vagamente abobalhado. A própria figura do Papai Noel me dá angústia. Eu acho que isso se deve ao hábito que meu pai cultivava de forjar uma carta que Papai Noel me enviava junto com os presentes. Na carta apócrifa, Papai Noel me repreendia pelo mau comportamento: "Não bata em sua irmãzinha, obedeça sua babá, não faça má-criações para sua mãe!..." Os presentes vinham com um gosto de castigo que me dói até hoje quando ouço o "Ho, ho, ho!" do bom velhinho. Papai Noel gostava de todo mundo, menos de mim; surgiu em minha vida como um "superego".

Talvez por isso, fui o primeiro da minha gangue de nenéns do Rocha a desmistificar a figura do barbudinho. "Papai Noel não existe!", foi minha declaração revolucionária. Eu bradava a meus amiguinhos, que olhavam desconfiados para meu "ateísmo" natalino. "Existe, sim!", protestavam. "Ele me deu o velocípede que eu pedi..."

"Ah, é?", eu replicava, subversivo. "Fica acordado este ano para ver se não é o teu pai mesmo que finge que é Papai Noel e põe os presentes lá na árvore!..."

Meus amiguinhos lutavam contra essa desilusão, mais ou menos como hoje os velhos comunas não desistem do socialismo e vivem acusando o Lula de ter ficado "neoliberal"...

Um outro trauma aconteceu em um Natal remoto, quando ganhei uma bicicletinha bem legal, mas que veio sem o quadro, sem a barra de ferro que definia se a bicicleta era para homem ou para mulher. O quadro, fálico, denotava bicicleta de homem; sem quadro, era para moças. Falei: "Essa é de mulher..." "Mas a bicicleta é para você, meu filho... Comprei sem quadro para você não se machucar, se cair..." Minha mãe estava cuidando de minha castração, pois eu poderia machucar meus pobres ovinhos na barra de ferro... Fiquei apavorado de desfilar nas ruas com "bicicleta de mulher". Que diriam os vagabundos mirins que assolavam as ruas do Rocha, se me vissem rodando nas rodinhas femininas? Claro que berrariam: "Viado! Viado!" – supremo xingamento da época, terrível pecha que poderia destruir a reputação de qualquer um de nós. "Viado" (e não "veado", por favor) tinha uma sombra de ambigüidade, um desequilíbrio que me assustava. Viado não era nem homem, nem mulher; "viado" era o mistério. Daí que nunca saí na rua com aquela máquina que selaria minha identidade em crise. Papai Noel me dava culpa, e a bicicleta ameaçava a minha sexualidade. Por isso, creio, o fervor subversivo contra a festa magna da cristandade que atingia, de tabela, meus problemas com o pai real.

Nessa época, em pleno delírio nacionalista do Getúlio no fim do Estado Novo, lançaram uma campanha para substituir a figura "imperialista" de Papai Noel por outro símbolo mais "coisas nossas". Inventaram uma figura tropical que nunca colou: o Vovô Índio, um velho seminu com uma peninha na cabeça, que traria presentes para os "curumins". Foi um fracasso total, numa época em que o cinema americano alardeava o Bing Crosby cantando "White Christmas" sem parar. Tentei flagrar meu pai colocando os presentes no corredor longo e triste (por que o corredor era triste?), onde uma Santa Teresinha brilhava sozinha numa pequena peanha, mas nunca consegui. Recorri a meu avô, conselheiro e aliado, e ele me confirmou, de mãos dadas, me levando ao Jockey Club: "Isso é pra criancinha mesmo... Você já tem seis anos..."

A partir daí, eu não parei mais. Fui além. Entrei de sola na lenda da "cegonha" e do "bebê que o papai do Céu mandou...". Meus amigos me olhavam em pânico, quando eu lhes tirava a inocência: "Vocês pensam o quê? A mãe de vocês ficam nuas, e o pai de vocês bota uma coisa dentro da barriga dela pelo umbigo e, aí, vocês nascem..." Essa tese me valeu várias brigas de rua. "Minha mãe, não, cara! Minha mãe é direita..." E tome porrada no meio-fio, rolando no chão. Depois, fui partindo para religião e dúvidas metafísicas sobre Deus, já maior, atazanando os padres do colégio: "Se Deus é bom, por que Ele cria um sujeito que ele sabe que irá para o inferno quando morrer?" Nenhum padre me respondeu essa pergunta até hoje, mesmo falando em livre-arbítrio etc.

Mas a verdade é que eu nunca fui feliz no Natal. Lembro-me que, nas ceias, ficavam visíveis as frágeis ligações familiares, pálidas amizades entre primos e tios, um certo tédio constrangido depois dos presentes abertos, dissensões e antipatias adivinhadas em abraços frios. Eu olhava aquela família "viajando através do tempo", como um cortejo trôpego, eu via a solidão do primo insignificante, do tio fracassado, da tia maluca e muito pintada, dos avós já tristes e ausentes, eu via que, a cada ano, as festas ficavam mais ralas; o eterno presunto caramelado e o peru com apito ficavam mais sozinhos na mesa; os presentes, mais baratos; e nossa fragilidade, mais clara. O destino das famílias é evidente no Natal. Os pobres ficam mais tristes com a dor do pouco que podem dar aos filhinhos, e os ricos, mais obstinados em provar a si mesmos que serão felizes a qualquer preço. A obrigação da felicidade me enlouquecia. Parentes que eu nunca via me abraçavam com uma forçada ternura, molhada por vinho e uísques misturados, terminando tudo naquela tristíssima saída na madrugada, com crianças chorando ou dormindo no colo, presentes carregados para os carros, berros de "feliz Natal" nas calçadas. Por isso, quando chega o Natal e o fim de ano logo depois, volto ao velho corredor de minha casa triste onde um Papai Noel me deixava sentimentos de culpa embrulhados para presente.

A casa da minha mãe nunca ficou pronta

ANDO COM VONTADE de ligar para minha mãe. Mas minha mãe já morreu. Meu filhinho me perguntou hoje: "Cadê sua mãe, aquela que mandou seu mico embora porque ele mordeu seu dedo?"

"Ela já foi para o céu...", respondi-lhe com o velho lugar-comum.

"E seu papai, aquele que andava no aviãozinho que ia até a lua?"

"Também foi para o céu...", repito, pensando que um dia ele vai descobrir que vamos para baixo e não para cima. Mas tenho mesmo vontade de ligar, pois, talvez, no telefone, possa haver um milagre e sua voz soar em meu ouvido: "Alô? 284858? Mamãe?" Na época desse número remoto do Méier, sua voz era jovem e feliz. Depois, foi enfraquecendo por outros números, até o tempo em que, já velhinha, atendia triste e doente ao 478378: "E aí, meu filho, tudo bem?..." Como seria bom o telefone me salvar e alguém me chamar de "meu filho"... Seria bom entrar pelos fios do passado e fugir das dores que sinto com o país, o mundo e comigo mesmo. Confesso que, em momentos de desespero, eu já liguei escondido para números antigos. Ouvia a voz anônima e falava: "Desculpe, é engano...", com a sensação de, por instantes, ter visitado minha velha casa.

Minha mãe era linda. Parecia a Greta Garbo. Um dia, meu avô bateu nuns vagabundos que mexeram com ela, ainda mocinha, na base do "Tem garbo mas não tem greta" e outras sacanagens de época... Meu avô, malandro e macho, pegou a bengala e cobriu-os de porrada.

A vida de minha mãe foi a tentativa de uma alegria. Sorria muito, trêmula, insegura e, nela, eu vi a história de tantas mulheres de seu tempo tentando uma felicidade sufocada pelas leis do casamento, pela loucura repressiva dos maridos. Meu pai, que era um homem bom e a amava, nunca conseguiu sair do espírito autoritário da época e, inconscientemente, enrolou-se numa infelicidade que oprimia os dois.

Na classe média carioca dos anos 50, cercados de preconceitos, medos e ciúmes nas casas sombrias, os casais estavam programados para tristezas indecifradas. Eram cenários estreitos para o amor: a casa do subúrbio, o apartamento mixa de Copacabana, onde vi minha mãe enlouquecer pouco a pouco, tentando manter um sonho de família, tentando manter a cortina de veludo, a poltrona coberta de plástico para não gastar, os quadros de rosas e marinhas e a eterna desculpa para os raros visitantes: "Não reparem, que a casa não está pronta ainda..." (isso, com 50 anos de casada). A casa nunca ficou pronta, como ela, Greta Garbo do subúrbio, sonhou: a casa feliz, com bolos decorativos nas festas, seu orgulho, a única coisa que ela sabia fazer; eram bolos em forma de avião, para homenagear meu pai-piloto; em forma de livro, para me fazer estudar; ou em forma de piano, para minha irmã tocar, naqueles aniversários em que os sofás de cetim marrom e branco eram descobertos com discreta vaidade.

Na juventude, minha mãe era infeliz e não sabia, pois todas as suas forças eram convocadas para esquecer isso. Cantava *fox*, para desgosto de meu pai, e ria com medo – se bem que ninguém era feliz naquela época. Não havia essa infelicidade esquizofrênica de hoje, mas era uma infelicidade tristinha, com lâmpada fraca, uma infelicidade de novela de rádio, de lágrimas furtivas, de incompreensões, de conceitos pobres para a liberdade. Eu via as famílias; sempre havia uma ponta de silêncio, olhos sem luz, depois dos casamentos esperançosos com buquês arrojados para o futuro que ia morrendo aos poucos.

Não era a tristeza da pobreza; dava para viver, com o Ford 48 sendo consertado permanentemente por meu pai sujo de graxa nos domingos, com o rádio narrando o futebol, dava para viver com uma empregadinha mal paga, dava, mas era uma tristeza obrigatória, quase uma "virtude" que as famílias cultivavam, sem horizontes.

Toda minha vida consistiu em fugir daquela depressão e em tentar salvá-los. Eu queria dizer: "Saiam dessa, há outras vidas, outras coisas!" – logo eu, que achava que ia descobrir mundos luminosos feitos de revoluções e de prazeres, eu que achava que viveria numa vertigem de alegrias modernas, do sexo que se libertava, da bossa nova, da arte, ilusões que foram logo apagadas pelo Golpe de 64, que, com apoio do meu pai, restaurou a luz mortiça das famílias, das esposas conformadas em seus cativeiros.

Minha geração se achava o "sal da terra", tocada pela luz da modernidade. Mal sabíamos do outro desamparo que viria; não a melancolia do rádio aceso no escuro, não a televisão Tupi ainda trêmula, não as esquinas cheias de mistério, não o apito do guarda-noturno, mas a nossa impotência diante do excesso de acontecimentos, do inferno das expectativas, das informações sem conhecimento.

Hoje, vivemos essa liberdade desagregadora, com a esperança de paz da classe média destruída, vivemos o medo das ruas, das balas perdidas, que não havia, quando mamãe ia visitar a médium de "linha branca" que lhe prometia progresso e alegria nas cartas. Antes, minha mãe e meu pai tinham a ilusão de uma "normalidade". Hoje, todos nos sentimos sem pai nem mãe, perdidos no espaço virtual, dos *e-mails*, dos contatos breves, da vida rasa sem calma.

Que vai nos acontecer nesse mundo de Bush e Osama, neste país de crimes e de riscos Brasil, onde nada se soluciona, onde tudo é impasse e encrenca?

Será que nunca mais teremos sossego? Por isso, me dá essa vontade profunda de pegar o telefone e discar, não num celular volúvel, mas num aparelho preto, velho, de ebonite, discar e ouvir a voz de minha mãe entrar pelo fio e aparecer na salinha de móveis Chippendale e Luís XV falsos e vê-la sempre querendo ser feliz, mas com vergonha das visitas: "Não reparem que a casa não está pronta..."

Na verdade, tenho vontade de discar, mas é para saber quem sou eu. E quando disserem "Quem fala?", pensarei: "É o que me pergunto..." Mas sei que vou desligar, dizendo: "Desculpe, é engano..."

O Brasil e o mundo podem prejudicar a sua saúde

MINHA PROFISSÃO É ver o mal do mundo. Um dia, a depressão bate. Não agüento mais ver a cara do Bush ostentando rugas na testa de preocupação com o nosso destino (que ele azedou), não agüento mais o Lula de boné dançando xaxado, não agüento ver o Sarney feliz, mandando no país, guardando o PT no bolso do jaquetão, enquanto os petistas, comunistas, tucanistas e fascistas discutem para ver quem é mais de esquerda ou de direita, enquanto o país afunda em violência e miséria, com o Estado sendo loteado entre esquerdistas sem emprego; não dá mais para ouvir que há transgênicos de esquerda ou de direita, principalmente quando ninguém consegue impedir as queimadas na Amazônia; passo mal também quando vejo a cara dos oportunistas do MST, com a bênção da Pastoral da Terra, liderando pobres-diabos para a revolução contra o capitalismo, não agüento secretários de Segurança falando em forças-tarefa, em presídios perfeitos que não conseguem nem bloquear celulares, não suporto ver que o Exército se recusa a ajudar na repressão ao crime, com generais tão eficazes para arrasar a guerrilha urbana nos anos 70, não suporto a polêmica desenvolvimento x austeridade, planos B, C e D, tenho horror do Fome Zero, tenho enjôo com vagabundos inúteis falando em utopias, bispos dizendo bobagens sobre economia, acadêmicos rancorosos decepcionados com Lula, não agüento mais ver a República tratada no passado, nostalgias de tortura, heranças malditas, ossadas do Araguaia e nenhuma idéia para nosso futuro, não tolero mais a falta de imaginação política, a retórica da impossibilidade sem saídas pontuais e originais, e vejo que a única coisa que acontece é que não acontece nada e que os juros baixos não acontecem nunca e penso "Ahh... se os homens de bem tivessem a imaginação dos canalhas!" Não aturo mais essa dúvida ridícula que assola a reflexão política: paciência x voluntarismo, processo x solução, continuidade x ruptura. Passo mal vendo político pedindo CPI para se lavar, deprimo quando vejo a militância dos ignorantes, a burrice com fome de sentido, o vice Alencar no bordão da queda dos juros, e o Palocci dizendo que não dá pé. Tenho engulhos ao ver essa liberdade fetichizada que rola por aí, produto de mercado, ao ver êxtases volúveis de *clubbers* e *punks* de butique, livres dentro de um chiqueirinho de irrelevâncias, buscando ideais como a bunda perfeita, bundas ambiciosas, querendo subir na vida, bundas com vida própria, mais importantes que suas donas, odeio recordes sexuais, próteses de silicone, sucesso sem trabalho, a troca do mérito pela fama, não suporto mais anúncio de cerveja fazendo competição entre louras burras e Zeca Pagodinho jogado numa cilada, deteto bingo, *pit bulls*, balas perdidas, suspense sobre espetáculo de crescimento, abomino a excessiva sexualização de tudo, com bombeiros *sexy* engatados em mulheres divididas entre a piranhagem e a peruíce, o sexo como competição de eficiência. Onde está a sutileza calma dos erotismos delicados? Onde, o refinamento poético do êxtase? Repugna-me ver sorrisos luminosos de celebridades bregas, passo-de-ganso de manequim, saber quem come quem na *Caras*, mulher pensando feito homem, caçando namorados semanais, com essa liberdade vagabunda para nada, horroriza-me sermos um bando de patetas de consumo, como crianças brincando num *shopping*, enquanto os homens-bomba explodem no Oriente e no Ocidente, não agüento mais cadáveres na Faixa de Gaza e em Ramos, ônibus em fogo no Jacarezinho e trens sangrando em Madri, museu de Bilbao, museus evocando retorcidos bombardeios, sem arte alguma para botar dentro, a não ser sinistras instalações com sangue de porco ou latinhas de cocô do artista, não agüento mais chuvas em São Paulo e desabamentos no Rio, gente afogada na Nove de Julho, enquanto a Igreja Universal constrói templos de mármore com dinheiro dos pobres e destrói a religião negra da Bahia, enquanto formigueiros de fiéis bárbaros no Islã rezam com os rabos para cima. Não agüento mais ver xiitas sangrando, dançando e batendo na cabeça no tão esperado século XXI, enquanto Bush reza na Casa Branca e o Dick Cheney, sujo de petróleo, fala em democracia no Iraque. Não agüento mais ver que a pior violência é o acostumamento com a violência, pois o mal se banaliza e o bem vira um luxo burguês. Não admito mais ouvir falar de globalização, enquanto meninos miseráveis fazem malabarismo com bolinhas de tênis nos sinais de trânsito do Rio. Não suporto o sorriso de Blair, a cara constrangida de Colin Powell, as pernas lindas de Condoleeza Rice, que me excita ao pensá-la em sinistras sacanagens na noite de Washington. Não agüento cariocas de porre falando de política, festas de celebridades com cascata de camarão, matéria paga com casais em bodas de prata, evangélicos intocados pela lei, novas forças-tarefa, Lula com outro boné, políticos se defendendo de roubalheira falando em honra ilibada, conselhos de notáveis para estudar problemas sem solução, anúncios de celular que faz de tudo, até boquete. Dá-me repulsa e lágrimas ver mulheres-bomba tirando foto com os filhinhos antes de explodir e subir aos céus dos imbecis, odeio Sharon e Arafat, a cara de sábia estupidez dos aiatolás, o efeito estufa, o derretimento das calotas polares, casamento *gay*, pedofilia perdoada na Igreja, Chavez e seus referendos, Maluf negando, Pitta negando, o Sombra negando, enquanto juízes corruptos reclamam do controle do Judiciário, e o papa rezando contra a violência sem querer morrer jamais. Não agüento mais Cúpulas do G-7, lamentando a miséria para nada, e tenho medo de que o Kerry, que tem uma cara duvidosa de ponto de interrogação, com aquele queixo de caju, perca a eleição, entregando o mundo à gangue do Mal. Tenho medo de tudo, inclusive da minha antiga e endêmica depressão, essa minha vã esperança iluminista. E tenho medo, acima de tudo, de que as pessoas não agüentem mais a democracia e joguem o país de vez no buraco. Daí a dúvida: tomo cianureto no champanhe ou formicida com guaraná?

A pedofilia na Igreja é conseqüência do celibato

No VELHO COLÉGIO de padres onde estudei, a entrada dos alunos já era um desfile de velada pedofilia. O padre-reitor – ahh... tempos antigos de batinas negras, rosários nas mãos, panos roxos nos ombros, tristeza infinita nas clausuras – postava-se imóvel, na porta do colégio, numa pose severa, com os braços erguidos e as mãos oferecidas para os alunos que chegavam. Passavam por ele duas filas de dezenas de meninos, beijando servilmente suas mãos abençoadas. Havia algo de viadagem naquilo, aquela negra batina imóvel, divina, como um manequim, as mãos beijadas com chilreios e devoção por mais de 500 meninos de calças curtas. Eu ainda me lembro do vago cheiro de sabonete e cuspe no dorso cabeludo da mão do padre. Centenas de meninos de pernas nuas eram pastoreados por tristes noviços e "irmãos leigos". Só se pensava em sexo naquele colégio. Eu via as mães dos alunos, lindas, com seus penteados e decotes imitando a Jane Russel ou a Ava Gardner, fazendo

charme para os padres na força de seus verdes anos, enlouqueci-
dos pela castidade obrigatória. E eu me perguntava: "Meu Deus...
por que padre não pode casar?" Lembro-me do tremor dos jovens
padres, excitados pelas madames pintadíssimas, indo se trancar
em negras clausuras, entregues ao "vício solitário", indo depois
bater no peito e chorar sua culpa diante das imagens silenciosas.

E esses mesmos padres nos diziam: "Cada vez que você se masturba, morrem milhões de pessoas que iam nascer. É um genocídio!"
E nós, além do pecado, sofríamos a vergonha de ser pequenos
"hitlers" de banheiro. Eu pensava: "Por que tanta onda sobre nossos pobres pintinhos, por que essa energia que sinto em minha
carne é feia, criminosa?" Vivíamos ajoelhados em confessionários, ouvindo envergonhados a voz e o hálito do triste sacerdote
nos sentenciando a dezenas de ave-marias e padre-nossos.

Tudo era sexo no colégio; essa palavra terrível estava em toda parte, como uma ameaça vermelha; o diabo nos espreitava até detrás
das estátuas de Santa Teresa em êxtase, nas coxas dos anjinhos
nus, nos seios fervorosos das beatas acendendo velas.

A pedofilia na Igreja é conseqüência direta do celibato. É óbvio
que se a força máxima da vida é esmagada, a Igreja vira uma máquina de perversões. Claro. E de homossexualismo, visível em
qualquer internato religioso. Outro dia, o Contardo Calligaris
escreveu com precisão que a pedofilia não está só na carne do
jovem assediado; a pedofilia é mais geral, abstrata, no prazer do

domínio sobre os mais fracos, na pedagogia infantilizante das jovens ovelhas – como nos chamam os pastores de Deus – imoladas em sua inocência. Eu vi o diabo naquele colégio: rostos angustiados, berros severos e excessivos nas aulas, castigos sádicos, perseguições a uns e carinhos protetores a outros.

Eu mesmo fui assediado por um padre famoso (do qual muitos colegas meus da época se lembram) que era notório comedor de menininhos: ele fazia mágicas e teatrinhos, para ser popular entre os meninos, e, um dia, tentou me beijar num canto da clausura. Criado na malandragem das ruas, fugi em pânico. E falei disso em confissão com outro padre, que mudou de assunto, como se fosse uma impressão minha, como se a pedofilia fosse uma prática necessária à manutenção do celibato, exatamente como os cardeais americanos estão fazendo hoje. O problema da Igreja com o sexo leva-a a uma compreensão quebrada da vida, leva-a a aceitar a Aids, a condenar o aborto, o controle social da natalidade e a outros erros maiores.

Lembro-me da descrição da eternidade no inferno, onde queimaríamos para sempre, sob o garfo dos diabos, condenados por uma reles punhetinha: "Imaginem que o planeta seja um grande diamante, o metal mais duro do universo. De cem em cem anos, um passarinho vem voando e dá uma bicadinha na Terra. O dia em que toda a Terra for esfarinhada pelas bicadinhas, essa é a duração da eternidade." E eu sofria, me esvaindo nos banheiros, pensando naquele passarinho que bicava o mundo, enquanto eu acariciava o outro medroso passarinho se preparando para uma vida de traumas e medos.

O prazer era um crime. A partir daí, tudo ficava poluído, manchado de culpa; a alegria virava falta de seriedade, a liberdade era um erro, as meninas eram seres inatingíveis com seus peitinhos e bundinhas. Até hoje, vivo dividido entre as santas e as "impuras"; quantas dores senti na vida pelo cultivo destes ensinamentos, que transformava as mulheres em perigos horrendos, "Liliths" demoníacas, tão ameaçadoras quanto o imenso desejo que tínhamos por elas. A mulher, como Eva, era a origem de todos os males. Delas saíam a vida e a morte, delas saía o prazer pecaminoso, o mal do mundo.

Esta base criminal gera desde a *burka* até o *striptease*.

Hoje piorou. O mundo virou uma paisagem de bundas e seios que nos espreita no trânsito, nas ruas, na TV. Já imaginaram esses padres vendo a Feiticeira e a Tiazinha, de terço na mão, trancados em escuras celas, sob o voto de castidade? Essa é a minha idéia de inferno.

Uma das grandes desvantagens da Igreja Católica diante de outras religiões é o celibato. Daí, em cascata, surgem problemas que justificam a queda do prestígio da Igreja na era do espetáculo e da desconstrução de certezas. Rabinos casam, pastores protestantes casam. Budistas *do it*, xintoístas *do it*, hindus *do it*, mesmo muçulmanos *do it*. *Let's do it*, pobres padres trêmulos de desejo, no meu remoto passado jesuíta e no presente do sexo massificado.

Meu pai foi um mistério em minha vida

Já ESCREVI SOBRE meu avô, e também sobre minha mãe. As pessoas me dizem: "E seu pai? E seu pai?" Meu pai foi um mistério em minha vida; não nos comunicávamos bem, inibidos um com o outro. Meu pai era o perigo de castigos, o Supremo Tribunal que julgava meus erros. Por isso, ao escrever este artigo, sinto seu olhar por cima de meu ombro. Sempre quis ser aprovado por ele, receber um elogio, um beijo espontâneo que nunca vinha. Ele parecia saber de algum crime que eu cometera, mas não dizia qual era. Eu sofria: "O que foi que eu fiz?" Meu pai não ria, como se o riso fosse um luxo, mas eu me empolgava quando ele chegava num avião de combate, coberto de dragonas douradas no uniforme da Aeronáutica, ele, meu herói que conquistara o pico do Papagaio como jovem alpinista e que fazia acrobacias de cabeça pra baixo nos aviõezinhos do Correio Aéreo. Quando peguei coqueluche, ele me levou num avião bimotor a quatro mil metros de altura, pois diziam que isso curava a tosse renitente. O avião subiu com meu pai pilotando, um sargento e minha mãe num casaco de pele com o cabelo preso num coque alto chamado "bomba atômica", cruel homenagem da moda à destruição de Hiroshima. De repente, a porta do avião se abriu a quatro mil metros e eu teria sido chupado para fora não fosse a rápida ação do sargento.

Até hoje, não sei se isso realmente aconteceu, mas meu pai sempre me trazia fantasias de extinção. Ele era um árabe alto, nariz de águia, bigodinho ralo, cabelo luzente de Glostora, óculos Ray-Ban, sapatos de borracha da Polar. Hoje, entendo que ele queria fazer de mim um homem pela severidade implacável, silêncios indecifrados, olhares acusadores (de quê, Deus?). Hoje sei que ele queria de mim um homem, dando-me um exemplo de espartana resistência, de chorar sem lágrimas. Claro que virei artista, por formação reativa, claro que enquanto ele me deu um livro nunca aberto sobre mineração de carvão eu ia ler Rimbaud e escrever poesias. Se eu bobeasse, podia estar hoje cantando boleros, com o codinome Neide Suely. Minha vida foi se pautando para ser tudo aquilo que ele não era – uma maneira de obedecê-lo em revolta, de competir com ele sem arriscar a castração, o pau cortado. Ele era moralista? Eu defendia sacanagens e palavrões. Ele era da UDN? Entrei para o PCB aos 18 anos.

Então, comecei a despertá-lo da letargia desatenta a mim, provocando-o, esculhambando americanos e militares, culpando a Aeronáutica pelo suicídio do Getúlio. Aí, conseguia berros à mesa de jantar, com minha mãe pálida sussurrando: "Olha os vizinhos!" Isso era uma forma de tê-lo vivo diante de mim.

Queriam-me diplomata? Ah... hoje eu poderia ser um pobre itamarateca alcoólatra... Fui ser nada, maluco, comuna da UNE; depois, por acaso, acabei cineasta... O tempo foi passando. Papai aposentou-se cedo demais e aquele projeto de "picos de papagaio", de aviões em parafusos, de um heroísmo guerreiro virou um silêncio aterrador no apartamentozinho de Copacabana, onde o tempo parecia parar. Entre as poltronas dos anos 40, entre os vasos de flores de minha mãe, a presença de meu pai era quase abstrata, lendo revistas, vendo TV de tarde, de pijama, em meio a minhas visitas, quando eu tentava alguma coisa que mudasse aquela paralítica tragédia, aquele relógio do avô que batia o pêndulo em vão.

Todos os dias eram iguais; só minha mãe mudava, cada vez mais perto da senilidade, visitando a médium "linha branca" que lhe dava conselhos com voz grossa de caboclo. Eu queria que alguma coisa acontecesse, queria vê-los dentro da vida da cidade, mas só saíam para comer num sinistro restaurante a quilo, de fórmica rosa e amarela.

Um dia, nasceu-me a primeira filha. Foi um momento de vida e luz mas, logo depois, meu pai caiu doente, com uma enigmática infecção pulmonar, que não passava. Médicos se sucediam: tuberculose, enfisema? O quê? Foi uma revolução cultural no apartamentinho de Copacabana: aquele rei silencioso, de repente, estava caído no divã, cuspilhando, febre permanente, precisando de ajuda. Então, a força estava fraca? O pai virara filho? Minha mãe pirou mais ainda, sem saber lidar com tanto poder que ganhara, tanta liberdade súbita. Eu também estranhava aquele titã caído. Um dia, o médico decretou: "Está muito anêmico... Precisa de transfusão de sangue."

Fui levá-lo à Casa de Saúde S. José, onde minha primeira filha tinha nascido, pouco antes. Deixo meu pai na cama de um quarto, com a bolsa de sangue pingando-lhe nas veias e, para evitar o silêncio triste diante da lenta transfusão, saí pelos corredores, para dar uma volta sem rumo. De repente, ouço dois tiros. Sim, dois tiros de revólver. E foi aí que minha vida começou a mudar. Pela porta do quarto ao lado, olho e vejo dois homens caídos no chão branco de fórmica, boiando em duas imensas poças de sangue. Um já estava morto e o outro agonizava de boca aberta, emitindo um soluço com um assobio assustador, como um peixe morrendo fora d'água. Enfermeiros acorreram e eu soube que tinha sido um crime passional. Um médico matara o outro e suicidara-se em seguida. Nada mais fora de lugar que um assassinato no hospital. Tudo se juntava, meus fantasmas acorriam todos, num clímax de vida e morte. Vi, espantado, que um deles era o ginecologista que tratava de minha mãe e que estava ali, boiando no próprio sangue, no hospital onde acabara de nascer minha filha. A transfusão acabou, as ambulâncias levaram os corpos e ficamos eu e meu pai assustados, sozinhos ali no quarto. O mundo tinha mudado.

Então, não sei por que, comecei a sentir um imenso carinho por meu pai, ali, fraquinho, cabelo branco. Ajudei-o a se arrumar, fechei-lhe o paletó e voltamos para casa, como cúmplices mudos de um crime, de um jorro de morte que destruiu nossa melancolia e nos uniu de uma forma misteriosa. Nunca entendi bem o que aconteceu, mas só sei que não houve mais silêncios tristes entre nós dois.

Vivemos sob pequenas bobagens que nos enlouquecem

CHEGA DESSA COISA de interpretar todo dia as mentiras e charadas sórdidas do ano eleitoral. Danem-se. Falo hoje de pequenas coisas. Falo de "nada", como as geniais histórias do "Seinfeld", sobre as bobagens irrelevantes que comandam a vida "pós-moderna" (arrgh...). O homem de hoje tem uma ridícula "liberdade" para nada, para comer sanduíche em lanchonete e acreditar em mentiras.

Quais são as bobagens atuais que mais odeio?

Há muitos anos, vi que a "pós-modernidade"(ufff...) estava começando no dia em que percebi que haviam modificado a caixa grande dos Chicletes Adams (uma cor-de-rosa e outra amarela), que tinha uma janelinha de celofane, através da qual se viam os chicletinhos chacoalhando. Notei, assustado, que a janela original fora trocada por uma falsa abertura: um desenho de janela com os chicletinhos. Terrível, não? Algum executivo canalha tinha cortado despesas com a doce janela por onde se viam as balinhas frescas como a brisa. Isso me preocupou.

Voando no tempo, ando hoje pelas ruas do Rio e de São Paulo. No Rio, ainda olhamos para a natureza, mas em São Paulo, olhar o quê? Todas as paredes são ocupadas por pichações. Me espanta que a prefeitura não faça nada. Cada monumento, cada coisa bela, está destruída por um garrancho sujo. Os grafites não dizem nada; são marcas irracionais para frustrar nossa fome de sentido e destruir a beleza. Milhares de jovens gastam energia pela madrugada para se vingar das cidades que os excluem. Tenho às vezes fantasias de sair à noite com metralhadora para dizimar os destruidores do visual. Já pensei até em sugerir a proibição das latinhas de *spray*...

Fico alucinado quando ligo para uma firma e a telefonista pergunta-me: "Quem deseja?" Tenho ganas de gritar: "O ser humano deseja, diria Lacan, e eu sou uma máquina desejante, como quis Deleuze!" Mas ela continua: "Dr. Fulano não se encontra!" Como? Dr. Fulano está em crise? Caído em desgraça, ele "não se encontra mais?".

Fico doido quando vejo a coisa mais feia que existe em São Paulo, nos postos de gasolina e nas oficinas. Adivinhem o quê? Aquele boneco imundo feito de câmaras de borracha, com uma maquininha de ar soprando dentro e que fica esperneando em frenesi incessante na beira das ruas.

Já viram? É o monumento à poluição. E o maluco que pendurou quatro bonecos enforcados num *outdoor* da avenida Bandeirantes? Ninguém tira? São Paulo está fazendo mal à saúde. Saia na rua e tente ver alguma coisa bonita... Mulher não vale.

E celular com musiquinha? Você está no aeroporto e, súbito, a seu lado toca *Jingle Bells* ou *Pour Elise* no bolso de um babaca executivo. Por que não fazem um celular que aperta o saco do usuário? Ele daria um gritinho e gemeria baixinho: "Alô?" E o irritante mundo dos garçons simpáticos? Sempre que eu peço um guaraná, lembro das belas frutinhas amazônicas da minha adolescência. E ouço, invariavelmente: "Com gelo e laranja?" Por quê? O meu guaraná indígena não basta? O leitor pensará: "Por que então não pedes logo sem gelo e sem laranja?" Respondo que sempre tenho a esperança de encontrar um *old timer* que me pisque o olho e faça a bela pergunta antiga: "Da Brahma ou da Antarctica?"

Também sofro muito quando desço no Rio e vejo o Santos Dumont, o mais lindo dos aeroportos, com suas esguias pilastras de mármore ocultadas por placas horrendas berrando: "sanitários", "balcões", "telefones". Tudo imenso, desnecessário, destruindo a perspectiva do imenso e branco saguão.

E meu humor piora quando saio no Aterro e vejo a ondulante *skyline* do Centro do Rio com os edifícios cobertos de anúncios imensos da L'Oréal, de firmas de informática, até de filmes americanos, destruindo nosso perfil urbano. O Cesar Maia tinha dito que proibiria, mas nada faz nessa segunda gestão.

Me enlouquece ver os times de futebol com anúncios no peito dos jogadores. Sou um babaca romântico, claro. Mas os times heróicos vendendo Hyundai e Kalunga me matam.

Sou um pobre paranóico, bem o sei, mas não dá mais para agüentar taxista malufista dizendo: "Ele rouba, mas faz viaduto." Antes, eu paternalizava o cara... "Coitado, não estudou". Hoje, eu faço comício no banco de trás feito um palhaço e já cheguei a saltar de um carro em que o cara dizia que o Quércia salvou São Paulo. Estou no caminho do hospício, bem o sei.

Ahh... detesto binas. É. Bina é a máquina secreta que te delata, que acaba com tua privacidade nos celulares alheios. Não há mais a surpresa para a mulher amada, não há mais uma consulta anônima, nem um pobre trote. "Ah... é você? Depois, eu ligo..." O bina acabou com o anonimato dos canalhas e amantes.

Odeio *gadgets* ridículos como *palmtops*, desses que "se conectam com a Internet através de um celular com rádio, *video game* e uma telinha de TV com as cotações da Bolsa e a previsão do tempo no mundo". Por que não vão para a p.q.p. com essas merdinhas inúteis?

Repugnam-me células fotoelétricas em bicas de banheiros chiques. Você mete a mão ensaboada debaixo de uma bica dourada e a água não sai. Você tenta de novo... nada... até que o faxineiro te instrui a posição certa, esperando gorjeta; a água jorra e pára, antes de lavar o sabão cor-de-rosa ou cor-de-diarréia. Já vi uma privada que soltava a descarga assim que você levantava... um horror.

Tenho nojo de papel higiênico folha fina, que se esgarça entre as unhas, abomino *e-mails* em cascata, com as piadinhas da hora, tenho asco de pequenas porcarias, besteirinhas que me tiram do sério, como pressa no engarrafamento, gente dizendo-me "bom descanso" ou "bom trabalho", pagode careta, casais que casam e separam na *Caras*, novas apresentadoras de TV e, pasmem, não agüento mais bunda. Isso, não agüento mais ver bunda em toda parte, anúncios, *outdoors*, revistas... O maior *marketing* do país é feito pelas bundas... Santo Deus, que será de mim?

A paranóia está batendo...

As confissões sinceras de um ladrão brasileiro

"Gosto de ser ladrão, doutor. Esta palavra tem uma conotação feia, mas a origem dela é *latrones*, os sujeitos que ficavam na lateral, ao lado dos reis e príncipes. Minha origem é, portanto, ilustre. Não sou um ladrão de galinhas, mas confesso que roubava galinhas do vizinho e até hoje sinto o cheiro das penosas que eu agarrava, prendendo-lhes o bico para evitar cacarejos e ficou-me o gosto do terror de o vizinho aparecer e acho que virei ladrão pelo prazer desse medo.

"Já fui dono da CAG Ltda, que era da viúva de meu ex-sócio, que, em circunstâncias misteriosas, apareceu assassinado no Motel Crazy Love e que antes de morrer, que Deus o tenha, já tinha transformado a CAG em subsidiárias com sede em Miami, a Ass & Hole Inc., a Cock & Dick participações, geridas por um *holding* em Barbados.

Hoje, não roubo por necessidade, doutor; é prazer mesmo. Nunca fui pobre, mas preciso da adrenalina que me acende o sangue na hora em que a mala preta voa em minha direção, cheia de dólares, quando vejo os olhos covardes do empresário me pagando a propina, suas mãos trêmulas me passando o tutu, ou quando o juiz me dá ganho de causa, ostentando honestidade, e finge não perceber minha piscadela-cúmplice na hora da emissão da liminar, todos sabujos diante de meu poder burocrático. Adoro a sensação de me sentir superior aos otários que me 'compram', eles se humilhando em vez de mim. Roubar é *sexy*, doutor. Dá tesão. Semelha um pouco às brincadeiras no porão onde eu e menininhos troca-trocávamos com pânico de um pai aparecer; roubar também me liberta, eu explico, me tira do mundo dos obedientes e me traz quase um orgasmo quando embolso uma bolada, o senhor já conheceu a alegria de andar com 300 mil dólares distraidamente dentro de uma ingênua pastinha e deixá-la de propósito ali no balcão da lanchonete, tomando um cafezinho sob a ignorância de transeuntes e pedintes que mal suspeitam que a salvação de suas vidas estaria ali, ao lado do açucareiro? E o prazer de sentir o espanto de uma prostituta, se você lhe arroja mil dólares entre as coxas, e vê sua gratidão imediatamente acesa, fazendo-lhe caprichar em carícias mais sacanas? Conhece, doutor, a delícia de rolar em notas de cem dólares na cama de um hotel vagabundo, de madrugada, sozinho, comendo castanhas e chocolatinhos do *frigobar*, em uma cidade remota, onde rolou mais um financiamento de grana pública? Conhece a delícia de ostentar honestidade em salões, para caretas inscientes que te xingam pelas costas, mas que te invejam secretamente pelas experiências que imaginam que você teve? Sabe do deleite de ver suas mulheres te olhando como um James Bond ao contrário, excitadas, pensando nos colares de brilhantes que poderiam ganhar de mim, o Arsène Lupin, *charmeur*, sorridente, pois todo bom ladrão é feliz e delicado, principalmente com as damas? O senhor não tem idéia, nesta sua obstinada integridade, do orgulho que temos, mesmo quando roubamos verbas de remédios para criancinhas, de agüentar o sentimento de culpa que bate em nossa consciência como mariposas numa janela e conseguir dominar a vergonha e transformá-la na bela frieza que faz o grande homem. O honesto é triste, doutor, a virtude dá úlcera, o honesto anda de cabeça baixa com baixos proventos, com uma vida limitada, sem conhecer o coração disparado, o gosto ácido da aventura, o honesto não sabe da santidade da sordidez, de onde contemplamos o mundo careta com desprezo.

"Eu sou especializado em bens públicos, doutor, é o que me dá mais tesão, saber que estou roubando todo mundo e ninguém, um dinheiro tradicional que já foi de tantas oligarquias. No Brasil, há dois tipos de ladrões, na elite é claro, não falo de 'carandirus'. Há o ladrão extensivo e o intensivo. O primeiro é aquele que vai roubando ao longo da vida política e, ao fim de 30 anos, já tem Renoirs, lanchões, helicópteros, esposas infelizes e adquire uma respeitabilidade por seu roubo difuso, ganha uma espécie de título de barão ou conde e que, depois, pode se limpar nas artes ou na filantropia.

"Eu prefiro ser 'intensivo', doutor, me dá mais adrenalina, mais pá-pum, mais relâmpago, uma delícia, doutor, roubar como vingança contra passadas humilhações, dores de corno, porradas na cara não revidadas.

"E o prazer da lealdade entre criminosos, doutor, conhece? A telepatia das piscadas, dos códigos, a delícia do conto-do-vigário em dupla, quando um diz 'mata' e o outro, 'esfola'? Já viu, doutor, um capanga seu, um 'armário' mau, quebrando o dedo de um devedor dentro da sala, sob seu olhar, proibindo-o de gritar, enquanto o dedo estala sob a manopla do crioulão? E o diálogo oblíquo com algum assassino de aluguel, acertando os detalhes de um prefeito ou empresário a apagar? E o êxtase maior de ver uma execução, ver as súplicas de pavor, enquanto os matadores passam o fio de náilon em volta da garganta do boneco e puxam até ele cair, eu confesso que tive uma ereção vendo esta cena num terreno baldio, debaixo de uma placa de financiamento público, e depois tive a maravilhosa sensação de liberdade de chegar em casa no absoluto segredo do crime e beijar meus filhos vendo desenho animado na TV, indo depois tomar um grande banho na *jacuzzi*, protegido de tudo.

"Olhe para mim, doutor. Eu estou no lugar da verdade. Este país foi feito assim, na vala entre o público e o privado. Há uma grandeza insuspeitada na apropriação indébita, florescem ricos cogumelos na lama das maracutaias. A bosta não produz flores magníficas?

O que vocês chamam de 'roubalheira', eu chamo de 'progresso', um progresso português, nada da frieza anglo-saxônica.

"São Paulo foi construída com este combustível, Brasília foi feita de lindas ladroagens. Tudo que é belo e bom nasceu da merda. Esta é a tradição do Brasil, doutor..."

Os homens desejam as mulheres que não existem

Está na moda – muitas mulheres ficam em acrobáticas posições ginecológicas para raspar os pêlos pubianos nos salões de beleza. Ficam penduradas em paus-de-arara e, depois, saem felizes com apenas um canteirinho de cabelos, como um jardinzinho estreito, a vereda indicativa de um desejo inofensivo e não mais as agressivas florestas que podem nos assustar. Parecem uns bigodinhos verticais que (oh, céus!...) me fazem pensar em... Hitler.

Silicone, pêlos dourados, bumbuns malhados, tudo para agradar aos consumidores do mercado sexual. Olho as revistas povoadas de mulheres lindas... sinto uma leve depressão, me sinto mais só, diante de tanta oferta impossível. Vejo que no Brasil o feminismo se vulgarizou numa liberdade de "objetos", produziu mulheres livres como coisas, livres como produtos perfeitos para o prazer. A concorrência é grande para um mercado com poucos consumidores, pois há muito mais mulher que homens na praça (*e-mails* indignados virão...). Talvez este texto seja moralista, talvez as uvas da inveja estejam verdes, mas eu olho as revistas de mulher nua e só vejo paisagens; não vejo pessoas com defeitos, medos. Só vejo meninas oferecendo a doçura total, todas competindo no mercado, em contorções eróticas desesperadas porque não têm mais o que mostrar. Nunca as mulheres foram tão nuas no Brasil: já expuseram o corpo todo, mucosas, vagina, ânus. O que falta? Órgãos internos?

Que querem essas mulheres? Querem acabar com nossos lares? Querem nos humilhar com sua beleza inconquistável? Muitas têm boquinhas tímidas, algumas sugerem um susto de virgens, outras fazem cara de zangadas, ferozes gatas, mas todas nos olham dentro dos olhos como se dissessem: "Venham... eu estou sempre pronta, sempre alegre, sempre excitada, eu independo de carícias, de romance!..."

Sugerem uma mistura de menina com vampira, de doçura com loucura e todas ostentam um falso tesão devorador. Elas querem dinheiro, claro, marido, lugar social, respeito, mas posam como imaginam que os homens as querem.

Ostentam um desejo que não têm e posam como se fossem apenas corpos sem vida interior, de modo a não incomodar com chateações os homens que as consomem.

A pessoa delas não tem mais um corpo; o corpo é que tem uma pessoa, frágil, tênue, morando dentro dele.

Mas o que nos prometem essas mulheres virtuais? Um orgasmo infinito? Elas figuram ser odaliscas de um paraíso de mercado, último andar de uma torre que os homens atingiriam depois de suas ferraris, armanis, ouros e sucesso; elas são o coroamento de um narcisismo *yuppie*, são as 11 mil virgens de um paraíso para executivos. E o problema continua: como abordar mulheres que parecem paisagens?

Outro dia vi a modelo Daniella Cicarelli na TV. É a coisa mais linda do mundo, tem uma esfuziante simpatia, risonha, democrática, perfeita, a imensa boca rósea, os "olhos de esmeralda nadando em leite" (quem escreveu isso?), cabelos de ouro seco, seios bíblicos, como uma imensa flor de prazeres. Olho-a de minha solidão e me pergunto: "Onde está a Daniella no meio desses tesouros perfeitos? Onde está ela?" Ela deve ficar perplexa diante da própria beleza, aprisionada em seu destino de sedutora, talvez até com um vago ciúme de seu próprio corpo. Daniella é tão linda que tenho vontade de dizer: "Seja feia..."

Queremos percorrer as mulheres virtuais, visitá-las, mas como conversar com elas? Com quem? Onde estão elas? Tanta oferta sexual me angustia, me dá a certeza de que nosso sexo é programado por outros, por indústrias masturbatórias, nos provocando desejo para me vender satisfação.

A dificuldade de realizar esse sonho masculino é que essas moças existem, realmente. Elas existem, para além do limbo gráfico das revistas. O contato com elas revela meninas inseguras, ou doces, espertas ou bobas mas, se elas pudessem expressar seus reais desejos, não estariam nas revistas *sexy*, pois não há mercado para mulheres amando maridos, cozinhando felizes, aspirando por namoros ternos. Nas revistas, são tão perfeitas que parecem dispensar parceiros, estão tão nuas que parecem namoradas de si mesmas. Mas, na verdade, elas querem amar e ser amadas, embora tenham de ralar nos haréns virtuais inventados pelos machos. Elas têm de fingir que não são reais, pois ninguém quer ser real hoje em dia – foi uma decepção quando a Tiazinha se revelou ótima dona de casa na *Casa dos Artistas*, limpando tudo numa faxina compulsiva.

Infelizmente, é impossível tê-las, porque, na tecnologia da gostosura, elas se artificializam cada vez mais, como carros de luxo se aperfeiçoando a cada ano. A cada mutação erótica, elas ficam mais inatingíveis no mundo real.

Por isso, com a crise econômica, o grande sucesso são as meninas belas e saradas, enchendo os *sites* eróticos da internet ou nas saunas *relax for men*, essa réplica moderna dos haréns árabes. Essas lindas mulheres são pagas para não existir, pagas para serem um sonho impalpável, pagas para serem uma ilusão. Vi um anúncio de boneca inflável que sintetizava o desejo impossível do homem de mercado: ter mulheres que não existam... O anúncio tinha embaixo o *slogan*: *She needs no food nor stupid conversation*. Esta é a utopia masculina: satisfação plena sem sofrimento ou realidade.

A democracia de massas, mesclada ao subdesenvolvimento cultural, parece "libertar" as mulheres. Ilusão à toa. A "libertação da mulher" numa sociedade ignorante como a nossa deu nisso: superobjetos se pensando livres, mas aprisionados numa exterioridade corporal que apenas esconde pobres meninas famintas de amor e dinheiro. A liberdade de mercado produziu um estranho e falso "mercado da liberdade". É isso aí. E ao fechar este texto, me assalta a dúvida: estou sendo hipócrita e com inveja do erotismo do século XXI? Será que fui apenas barrado do baile?

Antigamente, quando eu era pequenino...

"Antigamente, quando eu era pequenino..." – com essa frase mágica eu corto qualquer choro de meu filhinho, qualquer bagunça em curso e ele sobe em meu colo de olhos abertos, lágrima secando, para ouvir as histórias de meu passado. Por *marketing* paterno, eu descrevo o passado como um lugar meio escuro, ruim, sem nada, para ele valorizar os muitos brinquedos que tem, os Homens-Aranha, o Bat-Móvel, o peixinho Nemo no aquário e as gelecas trêmulas no chão. É uma artimanha meio sacana, mas funciona; não só lhe dá um início de consciência de seu privilégio social, como valoriza o "bom papai" aqui.

E ele adora investigar meu passado:

"Papai, antigamente não tinha vídeo?" Não. "Não tinha televisão?" Não; tinha só rádio. "Tinha He-Man?" Não; tinha Super-Homem, mas só tinha no gibi. "O que que é gibi?", ele pergunta.

Revista de quadrinhos – respondo – mas tinha Príncipe Submarino, que hoje não tem mais, um super-herói que lutava debaixo d'água contra os polvos malvados e as lulas malditas e venenosas. "E ele não morria afogado?" Não, meu filho, porque ele era meio peixe também. "E pescavam ele?" É... tinha uns homens malvados que queriam pescar ele, mas ele era craque. "Tinha você, antigamente?" Eu? "É. Você, com seu papai e sua mamãe?" Tinha... tinha eu... mas eu era pequenininho também... olha aqui no retrato. "Por que você está chorando no colo desse homem?" Não sei; eu acho que era vocação, ah! ah! "Que que é vocação?" É um negócio aí... "Você tinha amigos, papai?" Tinha. Tinha o Bertoldo, o Bertoldinho e o Cacasseno (personagens de um livro de histórias) e... o meu amigo Albertinho Fortuna... (não sei por que transformei esse cantor popular dos anos 50 num "amigo de infância"... Sempre achei graça nesse nome: "Albertinho Fortuna"...).

"E vocês caçavam o gambá gigante?" Sim; a gente ia à floresta e ia cada um com um pau na mão e íamos até a caverna do gambá gigante, que ficava lá no alto do Corcovado. "Lá onde tem o Quisto Redentor?" Isso, filhinho, a gente ia subindo a pé porque antigamente não tinha o trenzinho e, quando chegava perto da casa do gambá gigante, a gente sentia o cheiro, argghhhh, era um cheiro horroroso e aí não adiantava nem bater nele, a gente gritava, tapando o nariz: "Gambá gigante, sai daí!... Sai, gambá!" Aí, quando o gambá saía, zangado, porque estava dormindo e ia atacar a gente, o Albertinho Fortuna pegava um vidro de perfume Coty e tacava nele e aí o gambá gigante ficava cheirosinho e ficava amigo da gente... E pronto... E aí, todo mundo ia dormir, feito você, agora...

E, enquanto meu filhinho começa a dormir, pensando no gambá cheiroso, eu vou pensando em sua pergunta profunda: "Pai, o que que tinha antigamente?" Bem, respondo para mim mesmo, antigamente, tinha eu, outro "eu", diferente desse casca-grossa de hoje... É... tinha eu... tinha nossa casinha de subúrbio, pequena, com quintal, galinha e mangueira e, fora de casa, tinha minha curta paisagem de menino: rua, poste, fogueira no capinzal, a luz do carbureto do pipoqueiro, a luz nas poças com a lua tremendo na água, balões coloridos no céu, trêmulos de lanterninhas, balões-tangerina, balões-charuto. De dia, tinha as nuvens que eram minhas, as nuvens-girafa, as nuvens-camelo, que eu contemplava deitado no chão de terra onde as formigas eram minhas também, os caramujos nas folhas eram meus, sua gosminha madrepérola era minha, tudo fazia parte de meu universo de subúrbio.

Uma vez, houve um grande eclipse, e eu fiquei olhando minha família olhando o sol negro através de cacos de vidro escuros e, eu me lembro, tive a sensação dolorida de que a casa, papai de uniforme de capitão, minha irmãzinha chorando, a triste empregada com pano branco na cabeça, as árvores, as galinhas, tudo ia passar, e que nós íamos nos apagar também, como o sol, tudo indo para longe, como os urubus, mais longe, na bruma.

Nas ruas, tinha uma luz mortiça nas janelas das casas, o som do rádio com as novelas deprimentes e o seriado do *Capitão Atlas*, tinha os namorados no portão, tinha os amores impossíveis, os suicídios com guaraná, as luas-de-mel fracassadas, tinha as lâmpadas de carbureto dos carrinhos de pipoca, os velhos discos de 78 rpm, os cantores com som precário, as primeiras tevês em preto-e-branco, as saudades do matão, o luar do sertão, tinha um Brasil mais mixa, mais pobre, cambaio, troncho, mas bem mais brasileiro que hoje, em seu caminho da roça que o Golpe de 64 interrompeu, e que, agora, essa mania prostituída de "primeiro mundo global" matou a tapa.

É..., eu penso, antigamente, filho, tinha também uma coisa chamada "povo"; não o povo arrebentado, dividido, tonto de hoje. Era uma pobreza mais pobre, mas menos, como direi, menos clamorosa, menos trágica. Tinha uma nacionalidade ilusória, sim, com o povo apinhado nos bondes, iludido, mais burro que hoje, sem defesas, mas era um falso país em que acreditávamos. Sessenta e quatro criou um abismo, um vazio, e nos tirou a esperança de que ia surgir uma sociedade original, mesmo num futuro nevoento, cheio de urubus.

E, aí, eu me pergunto, vendo meu filhinho dormir: como fazer, meu filho, para restaurar aquela idéia de Brasil, sem fugir das regras duras desse tempo de vertigem global? Eu não sei. Nem ele – sonhando com o gambá gigante, sob a voz melodiosa de Albertinho Fortuna, cantando por cima do tempo.

Adoro sepulcros caiados e lágrimas de crocodilo

Eu ADORO A estética da corrupção. Adoro a semiologia dos casos cabeludos sob suspeita, adoro a reação dos implicados, adoro o vocabulário das defesas, das dissimulações, as carinhas franzidas dos acusados na TV, ostentando dignidade, adoro ver ladrões de olhos em brasa, dedos espetados, uivos de falsas virtudes e, mais que tudo, lágrimas de crocodilo.

Todos alegam que são sérios, donos de empresas "impecáveis". Vai-se olhar as empresas, e nunca nada rola normal, como numa padaria. As empresas sempre são "em sanfona", uma dentro da outra, en *abîme*, sempre têm *holdings*, subsidiárias, são firmas sem dono, sem dinheiro, sem obras, todas vagando num labirinto jurídico e contábil que leva a um precioso caos proposital, pois o emaranhado de ladrões dificulta apurações.

Me emociona a amizade dentro das famílias corruptas, principalmente no Nordeste. Ohh, Deus! Lá, creio eu, há mais amor do que entre picaretas paulistas ou cariocas. Lá existe uma simbiose maior no parentesco, mais calor humano, mais "fio de bigode". São inúmeros os primos, tios, ex-sócios, ex-mulheres que assumem os contratos de gaveta, os recibos falsos, todos labutando unidos, como Ali Babás sincronizados. Baixa-me imensa nostalgia de uma família que não tenho e fico imaginando os cálidos abraços, os sussurros de segredo nos cantos das casas avarandadas, o piscar de olhos matreiros, as coteveladas cúmplices quando uma verba é liberada pela Sudam em 24 horas, os charutos comemorativos; tenho inveja dos vastos jantares nordestinos, repletos de moquecas e gargalhadas, piadas, dichotes, sacanagens tão jucundas, tão "coisas nossas", tão "alagoas", que me despertam ternura pela preciosidade antropológica de imagens como a piscina verde em Canapi, a barriga de Joãozinho Malta (lembram?), a careca do PC Farias e as sobrancelhas de Jader. Esses signos e símbolos muito nos ensinaram sobre o Brasil real.

Adoro também ver as caras dos canalhas. Muitos são bochechudos, muitos têm cachaços grossos, contrastando com o *style* dos populares magros de seca, de fome, proletários chiques, elegantérrimos pela dieta da miséria.

Todos acumulam as mesmas riquezas: piscinas, fazendas, lanchões, miamis, todos têm amantes, todos têm mulheres desprezadas e tristes, com filhos oligofrênicos, deformados pelas doenças

atávicas dos pais e dos avós. Aprecio muito os bigodões e bigodinhos. Nas oligarquias, eles não usam a bigodeira severa de um
Olívio Dutra, babando severidade, com um eco de stalinismo e
machismo gaúcho, não. Os bigodes corruptos são matreiros, bigodes que ocultam origens humildes criadas a farinha-d'água e
batata-de-umbu, na clara ocultação de um acismo contra si mesmos, camuflando os ancestrais brancos cruzados com índios e
negros, raquíticos por séculos de patrimonialismo.

Também gosto muito do vocabulário dos velhacos e tartufos. É
delicioso ver a ciranda das caras indignadas na TV, as juras de
honestidade, é delicioso ouvir as interjeições e adjetivos raros:
"ilibado", "estarrecido", "despautério", "infâmias", "aleivosias"...

São palavras que ficam dormindo em estado de dicionário e só
despertam na hora de negar as roubalheiras. São termos solenes,
ao contrário das gravações em telefone, onde só rolam palavrões:
"Manda a grana logo para o f.d.p. do banco, que é um grande
*#, senão eu vou #** a mãe deste *#&."

Outra coisa maravilhosa nos canalhas é a falta de memória. Ninguém se lembra de nada nunca: "Como? Dona Sirleide, aquela
mulher ali, loura, popozuda, de minissaia? Não me lembro se foi
minha secretária ou não."

E o aparente descaso com o dinheiro? Na vida real, eles cheiram
a grana como perdigueiros e, no entanto, se justificam: "Ihhh...

como será que apareceu um milhão de reais na minha gaveta? Nem reparei. Ahhh... essa minha memória!..."

Adoro também ver as fotos das placas da Sudam. Sempre aparece um terreno baldio com a placa da Sudam e o nome pomposo da empresa fantasma, onde, às vezes, ao longe, um burro pensativo pasta...

E o objetivo "social" dos financiamentos da Sudam, da Sudene? Nunca é uma empresa para desenvolver algo; são ranários de dez milhões, fábricas de componentes para piscinas, empresas de ursinhos de pelúcia, ou esta maravilhosa Usimar, que ia custar um bilhão de reais para fazer peças de carro, mais caro que três General Motors na caatinga.

Amo também ver o balé jurídico da impunidade. Assim que se pega o gatuno, ali, na boca da cumbuca, ali, na hora da mão grande, surgem logo os advogados, com ternos brilhantes, sisudos semblantes, liminares na cinta, cínica serenidade de cafajestes e, por trás deles, vemos as faculdades malfeitas, as chicaninhas decoradas, os diplomas comprados.

E logo acorrem os juízes das comarcas amigas, que dão liminares e mandados de segurança de madrugada, de pijama, no sólido apadrinhamento oligárquico, na cordialidade forense e freguesa, feita de protelações, desaforamentos, instâncias infinitas, até o momento em que surge um juiz decente e jovem, que condena alguém e é logo chamado de "exibicionista"...

Adoro as imposturas, as perfídias, as tretas, as burlarias, os sepulcros caiados, os cantos de sereia, as carícias de gato, os beijos de Judas, os abraços de tamanduá.

Adoro tudo, adoro a paisagem vagabunda de nossa vida brasileira, adoro esses exemplos de sordidez descarada, que tanto nos ensinam sobre o nosso Brasil.

Sou-lhes grato pelas sujas lições de antropologia, verdadeiros "gilbertos freyres" da endêmica sem-vergonhice nacional.

Só um sentimento me atormenta o coração: não sei por que, também me passa pela cabeça a imagem dos corruptos chineses condenados e ajoelhados no chão, com o soldado alojando-lhes uma bala de fuzil na nuca. Penso nestas cenas e sinto uma grande inveja da China. Por que será?

Vamos beber no passado para esquecer o presente

NÃO AGÜENTO MAIS. Volto para o Antonio's. Vocês me perguntarão: "O que é isso?" Bem, o Antonio's era o bar essencial situado no espaço-tempo entre Ipanema e Leblon. O velho Antonio's fechou, mas continua aberto, flutuando dentro de minha cabeça. "Ahh... isso é nostalgia sua..." – dirão os jovens se dissipando em *raves* – "era um bar como qualquer outro..."

Não; não era. Havia alguma coisa rara naquele pequeno espaço decorado à inglesa, com uísques bons, ancorado numa esquina da história brasileira.

O Antonio's nasceu e morreu mais ou menos durante a ditadura e viveu cercado de repressão por todos os lados. Parecia uma embaixada onde nos exilávamos toda noite. Uns foram para a embaixada do Chile, outros para a Argélia; eu ia para o Antonio's.

A porta se abre e vejo lá dentro meus amigos todos, um bando de malucos jovens misturados com velhos geniais. Entre os doidos como eu, Ruy Solberg, Cacá Diegues, Glauber, estavam homens como Di Cavalcanti, Sergio Buarque de Holanda, Rubem Braga, Vinicius, Tom, Lucio Rangel, Millôr, tantos... O Antonio's está em grande noite... O chefe Zelito me recebe, em seu eterno paletó azul, junto com o vice-*maître* Serafim, que parecia mesmo um anjinho, gordo e pequenino, que aliás já está no céu... Chego ao balcão do Milton, o *barman*, e faço a piada costumeira: "Milton... tem leite desnatado? Não? Ahh... então me dá um uísque mesmo..."

A meu lado, está o cineasta Miguelzinho Faria, meio na fossa. Naquela época, ficar "na fossa", deprimido, era chique; hoje, não é mais comercial – temos de ostentar um sorriso, sem o qual nada valemos. Pergunto ao Miguelzinho intemporal: "Por que o Antonio's foi o bar perfeito?" E ele: "O Antonio's era um bar com 'projeto', porque tínhamos uma utopia revolucionária. O Antonio's era o 'aparelho' da esquerda festiva; tudo tinha um levíssimo sabor político. Em plena repressão, nos achávamos donos do mundo. Nossa 'revolução' era poesia pura. Não visava uma tomada do poder político, coisa chata; era uma tomada da vida, para mudar tudo. Como dizia Rimbaud: *Il faut changer la vie...*" Dito isso, Miguelzinho Faria remergulhou no copo de uísque.

A meu lado, materializa-se o Roniquito, reformador de costumes, de porre, e agrega: "Não é nada disso; o Antonio's era a delícia da ilusão. Vivíamos na plena bosta da ditadura mas o Antonio's ain-

da era um bar modernista, na fronteira da pós-modernidade..."
(Reparo que transparentes asas saem de suas costas.) Então, Roniquito vira-se para um escritor ao lado e dispara: "Você já ouviu
falar de William Faulkner?" O outro: "Claro." E ele: "Então você é
um babaca mesmo..."

De repente, explode uma briga no fundo. Quase aos tapas, Rubem Braga e Di Cavalcanti discutem. Rubem entendia de pintura
e, também de porre, sacaneava as mulatas de Di. "Você comeu
aquela gorda?" E Di: "Vai pra p.q.p., seu cronistinha de merda!"
Dali a pouco, os dois se uniam pra esculhambar um paulista arri-
vista que se meteu na briga.

Olho o Antonio's em meu delírio. Todos parecem boiar no espaço-tempo. Como ficou remoto o tempo presente: Ciro, Serra,
Lula, Elias Maluco, Espírito Santo, "risco Brasil", tudo tão longe...
Milton me dá um uísque, com sua mão iluminada, seu pálido
sorriso. Tom Jobim me murmura ao lado: "Pede Old Parr – parece
ouro líquido..." Vinicius concorda, virando o copo.

De repente, começam a entrar as mulheres... Meu Deus, como
eram belas! Noelza, Regina Rosemburgo, Tania Caldas, Duda Cavalcanti, Danuza. Até a Candice Bergen, a grande conquista do
macho brasileiro, Tarso de Castro mordendo-lhe a orelha, sem
falar inglês... Elas eram mais mitológicas que as mulheres de hoje.
Nada de bundões e silicone. Essas musas estavam na transição
também entre o ontem e o hoje; eram precursoras, heróicas, ma-

tadoras de idiotas machistas, abrindo o caminho para as Luanas Piovanis virtuais, que nem sabem que sua liberdade foi conquistada há trinta anos pelas guerreiras do desbunde. Súbito, me toco: foram elas que abriram as portas! Ipanema foi uma revolução feminina. Sim! Por elas, veio a delicadeza, a arte, o prazer. Hoje, estamos sob o signo de machos canalhas e imbecis dominando a vida urbana. Faz-se um clarão na porta e entra Leila Diniz sentenciando: "Porra, p#$&*m&%#!... Aproveita minha gente, que essa sopa vai acabar!"

Pouco depois, ela morreu no avião que caiu num deserto da Índia e eu senti que era um prenúncio do grande bode que viria, mesmo na pós-ditadura. Hoje entendo o calafrio: acho que a democracia chegou tarde, entre nós; o estrago já estava feito.

Saio do Antonio's e olho o céu lá fora. Está povoado de enormes estrelas rodantes, como aquelas do Van Gogh no céu daquele barzinho iluminado de Arles...

Passa um camburão de sirene aberta e volto assustado ao presente. Entro no meu carro, com medo de ladrão, e paro no sinal. Um menino miserável faz malabarismo com três bolinhas na minha frente. Caio em prantos, sem o Milton para me dar um uísque.

Espelho meu, quem é o imperador do mundo?

NÃO SEI POR que mas, sempre que desejo meditar, venho aqui para esse banheiro da Casa Branca, com espelhos em paralelo, que me multiplicam ao infinito. Preciso me ver refletido, milhões de bushes, como um exército de "eus".

Aqui me sinto calmo. Gosto de ficar nu, olhando-me de todos os ângulos. Ergo a mão, milhões de mãos... Viro de bunda, milhões... Gosto de gritar: *Kiss my asses!* ("Danem-se!") Ah, ah... Estou vivendo os melhores momentos de minha vida... Sinto-me potente. Vou derrotar meus inimigos. Eles não são somente o Bin Laden, nem o Saddam. Meus inimigos são também aqueles que me humilhavam quando eu era o Little Bush, o burrinho, que só tirava zero na faculdade... Eu queria ser livre, leve e solto, feito meus colegas dos anos 60, doidões, que fumavam maconha contra o Vietnã. Eles gostavam de Rolling Stones, e eu, do Ray Coniff, qual o problema? Eu queria desbundar feito eles, mas meu pai não deixava e, aí, eu só enchia a cara de Jack Daniels e atropelava latas de lixo no Texas, onde fui detido por alcoolismo. Eu bebia para diminuir a angústia, pois papai sempre preferiu o Jed... Meus inimigos são também aqueles intelectuais de bosta que riam de meus planos para a política da América, só porque eu pertencia à Skull and Bones Fraternity, uma espécie *light* da gloriosa Ku Klux Klan. Eram uns intelectuais babacas, puxa-sacos dos europeus, fascinadinhos pela França e Itália. Eu nunca fui a esses lugares na juventude... Para quê? Para enfraquecer minha fé na América? Diziam que eu era burro... Por isso, uso sempre essa expressão de seriedade, como se eu estivesse pensando em coisas profundas sobre o mundo. Cara 1: preocupação com o "mundo livre". Cara 2: "caubói vingativo".

Chamam-me de Forrest Gump, mas só eu sei da grandeza insuspeitada do homem médio. Há um bom senso profundo no republicano radical como eu. Um amor às coisas óbvias, à família gordinha, mamãe e filhinhos de olhares inocentes, mas atentos ao "Mal", com seus hambúrgueres, o *bacon*, a *root beer*, o *barbecue*, o futebol americano, o charme da *old religion*, a *country music*, o horror ao estrangeiro, o amor à linha reta, ao princípio, o meio e o fim de tudo, a valentia em resolver problemas, sem atentar para complexidades afrescalhadas, resolver, arrasar, desde os índios até o Noriega. Assim, fizemos a maior nação do mundo – e não foi com dúvidas européias, não; foi com a crueldade em nome da bondade, com a pureza do *self interest*, da conquista de mercados; assim, criamos esse grande país, com fé em Deus, na fidelidade à pátria de Cristo e na fidelidade conjugal, e não nos *blowjobs* daquele canalha do Clinton. Tenho orgulho de ser um Forrest Gump, pois ele tem a sabedoria da estupidez, a pureza dos imbecis, a santidade da burrice. Os *gumps* é que fizeram a maior nação do mundo, sem se dobrar a multilateralismos de bosta dos europeus; isso é coisa de quem não tem exércitos. Querem nos controlar com papos de ecologia, de ONU, de Tribunal Penal Internacional para nos julgar... Ninguém vai nos julgar mais. Esses intelectuais de quinta querem que eu deixe as maiores reservas de petróleo do mundo com o Saddam? Tenho de atender o Dick Cheney, velho petroleiro amigo dos que nos financiaram... Tenho de atender também nossos gênios militares, que nos fazem invencíveis... Há coisa mais bela que um avião Stealth, bombas inteligentes, a aerodinâmica dos jatos no céu, balas tracejantes, nuvens de fogo? Eu não lutei no Vietnã, papai arranjou-me um pistolão na Guarda Costeira, mas eu acho bela a guerra... Ahh... a beleza do heroísmo, até mesmo a beleza do martírio dos jovens que voltarão mortos, com funerais sob salvas de canhão. Eu sou o verdadeiro americano, sem frescuras importadas. A Europa nos despreza, e eu vou ficar puxando o saco daqueles babacas? Museuzinhos, catedraizinhas, filosofias, artezinhas, um papo de transcendência, de tradição milenar? É tudo *bullshit*; eu acredito é no mercado, preço, lucro, utilidade.

Humanismozinho é coisa de viados; humanismo é mercado... Tem cabimento a maior nação do mundo se igualando àqueles idiotas da ONU: Nigéria, Costa Rica, Brazil? Ora, *give me a break*. Não existe essa tal de "política internacional"; só interesses internos e privados, como disse aquela crioula, a Condoleeza Rice. A crioulinha é fera... ah, ah... tenho até de segurar ela... senão taca fogo em tudo... E ainda tenho de aturar aquele Colin Powell, metido a pombinha... Tudo bem, tive de botar esses afro-negões no poder para mostrar que não sou racista, apesar de ter torrado vários na cadeira elétrica do Texas... ah, ah.... um crioulo falcão e um pombinha; um lambe e o outro esfola.

Mas eu vou criar um mundo maravilhoso, tenho certeza. Já vejo os árabes tremendo de medo de mim, o petróleo jorrando nos postos de gasolina, barata, abastecendo o ritmo do sonho americano, a Europa toda mudada, os Estados sem exércitos fortes, os Estados sem iniciativa, simbólicos, como monumentos vazios de outros tempos. Já vejo uma grande economia sem governos, todas dominadas por nós, a América Latina dominada, tudo dominado com a grande Alca regendo aqueles macacos. Só restará um grande mercado, limpo, sem países reais. Quero voltar a América para trás, antes dos *hippies*, dos negros, dos direitos civis... Então, nossa pátria será a nação indispensável, com nossos céus cobertos por um grande guarda-chuva de satélites da "guerra das estrelas", mísseis batendo no teto, com estrelas chinesas e russas, com nosso povo comendo hambúrgueres e olhando para cima, rindo dos foguetes domados.

E se a barra pesar muito, pau nos chineses que virão, e nos russos e árabes também! Será o Juízo Final, mas só para eles. Nós ficaremos sozinhos na América, como eu aqui nesse banheiro de espelhos... Já imagino Meca derretendo, com aquela praça cheia de árabes sujos...

Ah... ah... eu posso apertar um botão e acabar com essa porra! Viva eu! Sempre que penso nisso, tenho uma ereção... Meu Deus... o melhor afrodisíaco é a nuvem atômica! *God*! São milhões de pintinhos de bushinhos se erguendo gloriosamente nos espelhos infinitos!... Aleluia! Finalmente, eu sou feliz!...

O amor impossível é o verdadeiro amor

OUTRO DIA ESCREVI um artigo sobre o amor. Depois, escrevi outro sobre sexo. Os dois artigos mexeram com a cabeça de pessoas que encontro na rua e que me agarram, dizendo: "Mas... afinal, o que é o amor?" E esperam, de olho muito aberto, uma resposta "profunda". Sei apenas que há um amor mais comum, do dia-a-dia, que é nosso velho conhecido, um amor datado, um amor que muda com as décadas, o amor prático que rege o "eu te amo" ou "não te amo". Eu, branco, classe média, brasileiro, já vi esse amor mudar muito. Quando eu era jovem, nos anos 60/70, o amor era um desejo romântico, um sonho político, contra o sistema, amor da liberdade, a busca de um "desregramento dos sentidos". Depois, nos anos 80/90, foi ficando um amor de consumo, um amor de mercado, uma progressiva apropriação indébita do "outro". O ritmo do tempo acelerou o amor, o dinheiro contabilizou o amor, matando seu mistério impalpável. Hoje, temos controle, sabemos por que "amamos", temos medo de nos perder no amor e fracassar na produção. A cultura americana está criando um "desencantamento" insuportável na vida social. O amor é a recusa desse desencanto. O amor quer o encantamento que os bichos têm, naturalmente.

Por isso, permitam-me hoje ser um falso "profundo" e falar de outro amor, mais metafísico, que transcende as décadas, as modas. Esse amor é como uma demanda da natureza ou, melhor, um amor quase como um órgão físico que foi perdido. Como escreveu o Ferreira Gullar outro dia, num genial poema publicado sobre a cor azul, que explica indiretamente o que tento falar: o amor é algo "feito um lampejo que surgiu no mundo/ essa cor/ essa mancha/que a mim chegou/de detrás de dezenas de milhares de manhãs/e noites estreladas/ como um puído aceno humano/ mancha azul que carrego comigo como carrego meus cabelos ou uma lesão oculta onde ninguém sabe".

Pois, senhores, esse amor existe dentro de nós como uma fome quase "celular". Não nasce nem morre das "condições históricas"; é um amor que está entranhado no DNA, no fundo da matéria. É uma pulsão inevitável, quase uma "lesão oculta" dos seres expulsos da natureza. Nós somos o único bicho "de fora", estrangeiro. Os bichos têm esse amor, mas nem sabem.

(Estou sendo "filosófico", mas... tudo bem... não perguntaram?) Esse amor bate em nós como os frêmitos das células do corpo e como as fusões das galáxias; esse amor cria em nós a sensação do

Ser, que só é perceptível nos breves instantes em que entramos em compasso com o universo. Nosso amor é uma reprodução ampliada da cópula entre o espermatozóide e o óvulo se interpenetrando. Por obra do amor, saímos do ventre e queremos voltar, queremos uma "reintegração de posse" de nossa origem celular, indo até a dança primitiva das moléculas. Somos grandes células que querem se reunir, separados pelo sexo, que as dividiu ("sexo" vem de *"secare"*, em latim: separar, cortar).

O amor cria momentos em que temos a sensação de que a "máquina do mundo" se explica, em que tudo parece parar num arrepio, como uma lembrança remota. E não falo aqui dos grandes momentos de paixão, dos grandes orgasmos, dos grande beijos – eles podem ser enganosos. Falo de brevíssimos instantes de felicidade sem motivo, de um mistério que subitamente parece revelado. Há, nesse amor, uma clara geometria entre o sentimento e a paisagem, como na poesia de Francis Ponge, quando o cabelo da amada se liga aos pinheiros da floresta ou quando o seu brilho ruivo se une com o sol entre os ramos das árvores e tudo parece decifrado. Mas não se decifra nunca, como a poesia. O amor é uma tentativa de atingir o impossível, se bem que o "impossível" é indesejado hoje em dia; só queremos o controlado, o lógico. O amor anda transgênico, geneticamente modificado, *fast love*.

Mas o fundo e inexplicável amor acontece quando você "cessa", por brevíssimos instantes. A possessividade cessa e, por segundos, ela fica compassiva. Deixamos o amado ser o que é, e o outro é contemplado em sua total solidão. Vemos um gesto frágil, um cabelo molhado, um rosto dormindo, e isso desperta em nós uma espécie de "compaixão" pelo nosso desamparo.

Esperamos do amor essa sensação de eternidade. Queremos nos enganar e achar que haverá juventude para sempre, queremos que haja sentido para a vida, que o mistério da "falha" humana se revele, queremos esquecer, melhor, queremos "não saber" que vamos morrer, como só os animais não sabem. O amor é uma ilusão sem a qual não podemos viver. Como os relâmpagos, o amor nos liga entre a Terra e o Céu. Mas, como souberam os grandes poetas como Cabral e Donne, a plenitude do amor não nos faz virar "anjos", não. O amor não é da ordem do Céu, do espírito. O amor é uma demanda da Terra, é o profundo desejo de vivermos sem linguagem, sem fala, como os animais em sua paz absoluta. Queremos atingir esse "absoluto", que está na calma felicidade dos animais.

O travesti está na terceira margem do Rio

NÃO VOU FALAR de guerra – danem-se os religiosos que destroem o mundo em nome de Alá e Jesus. Uma noite dessas, fui à Lapa, com meus amigos Miguel Faria Jr. e Ruy Solberg. A Lapa é um vivo museu de velhas casas deslumbrantes, botequins, bordéis, casas de pasto, fachadas meio barrocas, meio neoclássicas que tinham de ser preservadas, em vez da sórdida filial oportunista do Guggenheim submarino que iria matar os baiacus da Praça Mauá.

Na esquina da Lavradio com Mem de Sá, há um ponto de travestis iluminados. Quando passamos, um deles gritou meu nome, veio correndo e me abraçou, dizendo que era meu fã, porque eu tinha escrito um artigo sobre as travecas, que ele, Luana Muniz, líder comunitário, havia lido numa assembléia de sexomutantes com grande repercussão. Fiquei emocionado com os abraços por um texto que escrevi dez anos atrás, porque realmente acho fascinante a vida dos travestis. Por isso, volto a escrever sobre eles, reproduzindo também trechos do primeiro artigo.

Acho os travestis figuras shakespearianas, de grande dramaticidade, centauros urbanos, corajosos, encarnando duas vidas num corpo só. Os travestis almejam uma beleza superior, uma poesia qualquer insuspeitada, mesmo que movidos pela necessidade da grana do michê. Não confundir o travesti com a *drag queen*. A *drag queen* é satírica, caricatura de uma impossibilidade; o travesti é idealista. O travesti acredita na arte. É utópico e romântico. O travesti tem orgulho de ser quem é; ele não é uma decaída – ele tenta ser uma afirmação de identidade.

Na realidade, o travesti é uma espécie de ideal das mulheres, principalmente das pós-peruas, das turbinadas e siliconadas, pois elas querem ser homens também, homens macios. Elas aspiram à coragem e à liberdade do travesti, sem pagar o preço das ruas, pois o travesti sempre encerra um perigo qualquer. Eles não têm a mansidão aparente das damas da noite. O travesti é um risco maior que a Aids. Eles têm algo de homem-bomba – carregam um segredo que pode te matar ou te mudar para sempre. O travesti não enfrenta a moral vigente; ele enfrenta a biologia. A garota de programa é conservadora, serve ao sistema sexual vigente. O travesti é revolucionário, quer mudar o mundo. O viado ama o homem; o travesti ama a mulher, mas ele não quer ser mulher, ele quer muito mais, ele não se contenta com pouco, ele é barroco, maneirista (não existem travestis clássicos).

Há algo de clone no travesti, algo de robô, pois eles nascem de dentro de si mesmos, eles são da ordem da invenção, da poesia. O travesti não quer ter uma identidade; ele almeja uma ambigüidade sempre deslizante, sempre cambiante, se parindo numa estirpe futura de neoloucos. O que oferece o travesti ao homem que o procura? Oferece-lhe a chance de ser a mulher de uma mulher, oferece-lhe um pênis dissimulado. O travesti que se opera perde sua maior riqueza: a ambigüidade.

Nada mais triste que o travesti castrado; não é mais homem nem mulher. Vira nada. Passa a existir só em sua fantasia. O travesti não é uma coisa simples e doce; há um lado "criminal" no travesti. Ele não é viado. Ele tem coragem de ser duplo, coragem do ridículo, do terror no centro da madrugada. Tudo isso ele suporta pela grana, claro, mas também pela suprema glória no espaço místico da esquina do Hotel Hilton ou da avenida Atlântica. A prostituta ajuda no tédio da vida conjugal; o travesti ameaça as famílias. Ele é útil politicamente, porque cria a duplicidade no mundo dos confiantes executivos, porque cria uma rachadura no mundo real de hoje. O travesti não é uma pobre mulher por quem você pode se apaixonar e viver feliz para sempre. O travesti é inquietante, porque você pode virar mulher dele. O homem que se casa com a prostituta é considerado um "benfeitor" que humilha um pouco a mulher amada que salvou. O travesti nunca será grato a você; você é que terá de lhe agradecer. O travesti não dá uma boa esposa; você é que poderá virar uma boa esposa para ele: "Querida, já lavei sua minissaia de oncinha..." Você não tira um travesti da "vida"; ele é que pode te tirar da tua. Ele tem tudo; ele é auto-suficiente. Ele é um casal; se você entrar, você é o terceiro e pode ser excluído. O travesti sabe tudo que um homem quer, pois, como seu desejo é masculino, ele conhece a mulher ideal. Só o homem pode ser a mulher ideal.

O travesti está numa missão impossível e sabe disso; ele sabe que ainda é um dos poucos redutos do sonho no mundo. Ele não é da área moral, ele é da área artística. O travesti não tem par. Quem é o par do travesti? A prostitutinha tem lá o seu amante, seu cafetão. E o travesti? Ele é só. O travesti nu em Copacabana desafia todos os pudores. Quem está nu ali na esquina, o homem ou a mulher nele? Ninguém está nu, pois ele viaja na identidade e se disfarça o tempo todo; por isso, pode ficar nu na rua – ele não é ninguém, ele não aspira a um "eu" fechado, ele é um "eu" contemporâneo, ele é descentrado, movente, ele é o "sujeito" moderno.

O travesti tem algo de caubói – e desperta a mesma admiração que um John Wayne de fio-dental. Porque você está na paz; ele está na guerra. Você passa no seu Audi e vê na terceira margem do rio uma Marlene Dietrich de botas no meio dos faróis e lá se vai o pai-de-família perdido de loucura. Todos somos ingênuos e caretas vistos daquele ângulo, mas todos somos travestis: "maus" vestidos de "bons", idiotas vestidos de sábios, egoístas de generosos, bichas de machões. O travesti nos fascina porque assume a verdade de sua mentira.

O grande sucesso do herói sem coração*

"Eu QUERO, EU desejo, eu preciso, eu não me conformo de ficar olhando a vida de fora, feito um espectador de TV, eu quero tênis, eu quero Rolex, eu quero carrão, eu quero lancha, eu quero cartões de crédito e aqueles *smokings* lindos que o James Bond usava debaixo do neoprene mesmo quando mergulhava, eu quero a elegância total, sorriso nos lábios, pisando em mármores de hotéis, tomando drinques na beira da piscina, com uma louraça a meu lado... Eu quero poder escolher entre a Mercedes da hora e o Jaguar do ano, eu quero ter o corpo perfeito, malho muito e de noite eu fico horas pensando em mudar meu corpo, como se eu fosse nascer de novo, como se eu fosse fazer o parto de mim mesmo.

"Eu me imagino inteiramente liso para iniciar o parto, como alguém raspado antes de uma cirurgia e, de dentro de meus membros, começa a surgir um outro corpo, como a borboleta saindo

*Refere-se ao crime já comentado na crônica "Suzane, 19 anos, bela e rica, matou por amor".

de dentro da crisálida, meus pés, úmidos e novos, saem de dentro de meus velhos pés, minhas panturrilhas rompem a casca da pele e aparecem fortes para jogar um futebol de campeão, eu, que sempre era barrado nas peladas de rua, mas que hoje já tenho os braços fortes como os de Charles Bronson, me preparando para o grande momento que vai chegar. Eu sonho há anos com esse dia, pois sempre soube que viria um 'bonde' legal, uma 'parada' legal que eu não sabia qual era, mas que viria... Aproxima-se a hora da liberdade, a hora em que eu vou quebrar todos os recordes e pular para uma outra vida. Depois disso, ninguém me segura mais... Como segurar um homem como eu, com minha macheza gloriosa, meu pênis campeão, que tem uma tatuagem de seta para lembrar à minha mulher qual é o caminho da adoração religiosa, quando eu fico em pé na cama e ela reza, olhando para mim como o seu Deus? Ela está entranhada em mim como uma tatuagem e nem que arranque a pele, ela se livra do meu amor. Parece que somos um só. Ela me disse um dia: 'Eu sou você!'... Pois, está chegando a hora H, quando eu terei tudo a que tenho direito, como motocas Electra Glide ou Kawasakis, terei um apartamento em cima de uma pedra em frente ao mar, em frente às altas ondas que eu, campeão havaiano de surfe em maremotos, cavalgarei, e meu apartamento vai ser todo de mármore, cheio de controles remotos, de onde eu vou comandar os garçons que servem caviar e champanhe nas noites de festa que eu vou dar, com pagodes e com a Ivete Sangalo ou a Daniela Mercury cantando para meus amigos da revista *Caras*, eu vou mandar em tudo porque serei o mais poderoso, o mais forte, o mais rico, falando inglês, francês, russo, alemão, latim, e todo mundo vai me respeitar e gostar de mim, porque eu vou ser legal com quem for legal comigo, mas, se não for legal comigo, será esculachado, porque eu não vou dar colher de chá para traidor e porque nunca mais vou ser humilhado por aquele patrão que me expulsou da loja dizendo que eu era ladrão de camiseta e de tênis, só porque eu fui ao *show* do Negritude Jr. com o tênis fosforescente que chegou do Paraguai e com a camiseta do 'Robocop'.

"Nunca mais vou ser fraco de alma, inclusive porque eu estou fazendo musculação por dentro do corpo; por fora, eu já estou com uma potência de soco de um Volks a 80 quilômetros por hora, mas, por dentro, meus músculos da alma estão cada vez mais duros, meu coração mais seco, único caminho para o sucesso, como nos ensina a cara dos políticos na TV. Esta é a receita do sucesso: coração duro, nem um pisco, nem um tremor de mão, nem um olho aguado, nada. Eu quero mesmo é ser de pedra, aliás, eu quero ser uma 'coisa', eu queria ser uma '12' de cano serrado ou uma espada de samurai.

"Já pensou se o Beira Mar fosse bonzinho? Ele seria um joão-ninguém. Eu sou duro, até já treinei outro dia com o gato no microondas, os miados e os olhos de pavor na janelinha. Quero coração duro para satisfazer todos os meus desejos, como manda o meu amigo secreto que conversa comigo de noite, o 'Velho', que aparece quando estou começando a dormir e me diz: 'Vai fundo, bota para quebrar, não vai morrer pobre feito eu!' Como eu vou explicar para ele, se eu amarelar?

"Eu já estou pronto para a ação. No bolso, o meu discurso de posse, prontinho para o dia em que vou receber o Grande Prêmio na Academia dos Heróis. Já sei até de cor, vou repetindo baixinho enquanto subo a escada: 'Eu queria agradecer inicialmente ao Bruce Willis, ao Chuck Norris, ao Escadinha e a todos os heróis do cinema e da barra-pesada o muito que me ensinaram. Só eu sei quanto lutei para chegar até aqui, para ganhar este prêmio. Quero agradecer também aos olhos azuis de minha amada, que tanto me incentivaram a ter coragem de ser feliz...' Acho superlegal o meu discurso de posse na Academia e já vejo os super-heróis me aplaudindo.

"Bem, eu já estou pronto. Cabelo raspado feito o Ronaldinho, músculos desenhados e duros feito o Bruce Lee. Meu corpo está tremendo por dentro, mas sei que não é medo, não; é tesão, é a alegria de conquistar a vida nova.

"Parece que tem outro homem dentro de mim, eu, o chefe da equipe mundial de caratê, eu, maior sucesso em breve nas revistas dos chiques e famosos, eu, que quebro 20 telhas com um soco, eu que serei o novo ídolo dos jornais, eu sinto que o mundo vai se abrir para mim feito um *shopping center* e eu só irei pegando as mercadorias e colocando na Ferrari vermelha onde minha mulher me espera para fugirmos. Suzane me ama.

"A chave da vida nova já está aqui na minha mão: esta barra de ferro que mata em silêncio, enquanto subo a escada, na maior adrenalina, com meu irmão atrás de mim, feito um ninja de máscara negra, agora que vamos abrir o quarto e começar a festa. O pai e a mãe estão dormindo. Se a barra de ferro não resolver logo, estrangulo."

A morte não está nem aí para nós

DEPOIS DE CERTA idade, começamos a pensar na morte. Meu avô me disse uma vez: "Acho triste morrer, seu Arnaldinho, porque nunca mais vou ver a avenida Rio Branco..." Isso me emocionou, pois ele ia diariamente ao centro da cidade, onde tomava um refresco de coco na Casa Simpatia, depois passava na Colombo, comprava goiabada cascão, queijo-de-minas, e voltava para casa, de terno branco e sapato bicolor. Entendo meu avozinho, porque o morto fica desatualizado logo, logo. As notícias vão rolar e eu nada saberei. Haverá crises mundiais, filmes que estréiam, músicas lindas, e eu ficarei lá embaixo, sem saber das novidades. "Como morrer num dia assim, com um sol assim, num céu assim?", cantou Olavo Bilac. Como ficar por fora das artes, da política, das doces fofocas?

O Drauzio Varella acaba de escrever um livro, onde ele conta suas experiências no contato com a morte, em sua profissão de cancerologista. No livro, vemos que a morte é variada. Não há uma só morte. Há um *menu* de mortes. As mortes são vividas de mil maneiras, ou melhor, não se vive a morte, óbvio, pois o que há são os últimos minutos no furo da tragédia, no olho do fim. Filosofar sobre a morte não dá em nada.

A morte não está nem aí para nós. Ela nos ignora, ignora nossos méritos, nossas obras. Ela é simples, uma mutação da matéria que pouco se lixa para nós. Só nos resta viver da melhor maneira possível até o fim. Há muitos anos, pegou fogo no edifício Joelma em São Paulo, torrando dezenas. Até hoje eu me lembro da foto em cores de um homem de terno, pastinha James Bond, agachado numa janela do vigésimo andar, com o fogo às costas. Seu rosto mostrava dúvida: "O que é melhor para mim? Morrer queimado ou me jogar?" Ele se jogou.

Às vezes, quando tenho vontade de morrer, penso: e vou perder o espetáculo da vida? Por exemplo, escrevo agora diante do mar da Bahia. Vou deixar esse grande céu azul colado no grande mar azul que bate em pedras negras há milhões de anos, com o sol se afogando no horizonte? Vou sair dessa eternidade para ir aonde? Daí, penso: já estamos na eternidade, o universo "é" a eternidade e viver é ter o infinito privilégio de ver Deus, que está entranhado em tudo. Sei que o "viver" humano é doloroso por ser um "exílio", por termos perdido a simbiose com a natureza, perdido a paz dos pássaros, macacos e peixes. Mas, apesar dessa dor do exílio – que nos deu a linguagem (essa maravilhosa anomalia) – temos a chance de ver o universo de fora, estando dentro. Parafraseando Cézanne, somos a consciência do universo que se pensa em nós. A gente acha que verá Deus quando morrer. Essa é a grande burrice; Deus é isso aí, bichos, Deus está nos telescópios, Deus é o hidrogênio que está em toda parte. Deus não está no universo; Deus é o universo. Deus não está em nós; Deus é "nós". Viver é ver Deus, ali, na galáxia e no orgasmo, no buraco negro e no coração batendo. Mas, como a vida é em geral uma bosta social e política, no deserto do Iraque ou na miséria carioca, imaginamos que Ele esteja em outro lugar. Não. Está aqui, escrevendo comigo, movendo meus dedos, espelhando o mar da Bahia em meus olhos cansados. (Santo Deus, como a boneca está filosófica, hoje...)

Por isso, quando me penso morto, eu, o único que não irei ao meu enterro, tremo de pena de mim mesmo. Deixarei de ver, para ser natureza cega.

Por exemplo, acho triste a lagoa azul e roxa no fim da tarde e eu longe, sem ver nada. Como? O *jazz* tocando num piano-bar e eu ausente? Não terei saudades de grandes amores, *megashows* do mundo de hoje, excessivo e incessante. Não. Debaixo da terra, terei saudade de irrelevâncias essenciais para mim, terei saudades de algumas tardes nubladas de domingo que só o carioca percebe, quando fica tudo parado, com os urubus dormindo na perna do vento, com o radinho do porteiro ouvindo o jogo, terei saudades do cafezinho, de beiras de botequins, do uisquinho ao cair da tarde em Ipanema – minha morte é carioca.

Terei saudades dos raros instantes sem medo ou culpa, de momentos de felicidade sem motivo que sentia ao ouvir, digamos, "Sophisticated Lady", no sopro arfante do sax de Ben Webster e com Billie Holiday, mas não terei saudades do excesso de sangue e de notícias, nada do mundo febril, só quietudes, Erik Satie, João Gilberto, Matisse, Rimbaud, João Cabral, *Cantando na Chuva*, terei saudades de Fred Astaire dançando "Begin the beguine" com Eleanor Powell felizes para sempre dentro do universo onde estamos, nada de grandes prazeres globais, só calmarias, *Deus e o Diabo*, *Oito e Meio*, Pina Bausch, o silêncio entre amigos na paz de um bar, papos de cinéfilo, risos proletários e camaradagem de subúrbio, Lapa, avenida Paulista de noite, a chacona da "Partita em Ré-Menor" de Bach, Francis Ponge, que também amava o irrisório, o samba com o clima de amor que nos envolve nas rodas pobres, Noel Rosa, pernas cruzadas de mulheres lindas e inatingíveis, terrenos baldios do subúrbio antigo, Paris (claro), uma corrida de Zizinho com a bola quando entendi a grande arte que Pelé depois recriou, o tremor de medo e desejo da mulher na hora do amor, a timidez, a delicadeza, a compaixão, a súbita alegria de uma vitória, a frágil lua nova, Borges, Eça de Queiroz, um fecho de ouro de orquestra ou de poema, o prazer da arte, Fellini, Chaplin, Shakespeare e Tintoretto em Veneza para sempre, terei saudades do odor de madressilvas, da fome de amor entre os jovens, da simpatia, do desejo nos rostos e do Brasil, claro, do meu Brasil.

O Drauzio me falou uma vez sobre duas mortes: súbita ou lenta. Você, frágil leitor, qual delas prefere? O súbito apagar do abajur lilás, num ataque cardíaco, ou o lento esvair da vida, sumindo com morfina? Eu queria morrer como o velho Zorba, o grego, em pé, na janela, olhando a paisagem iluminada pelo sol da manhã. E, como ele, dando um berro de despedida.

Um asteróide de Deus caiu sobre o Ocidente

OSAMA SE MOVE no deserto com a postura de um Maomé, de um Cristo redivivo. Bush e seus generais reagem com os trejeitos nervosos dos estrategistas racionais.

Osama e seus asseclas não "esquentam"; têm o rosto suave e frio dos loucos sem dúvida. Bush e a América se movem dentro da História. Osama está fora dela e, por isso, cometeu o atentado que mais mudou a História moderna. Estávamos aprisionados na lógica da razão mercantil contínua e Osama rompeu esta "continuidade". Só um sujeito fora de qualquer parâmetro político previsível poderia mudar o rumo do trem. Osama não é constrangido por nenhum valor ocidental; nem pelo medo da morte. Ele não é detido por nenhum compromisso moral ou humanitário. Nós somos o mal. Ele é o bem. Nós também nos achamos o "bem", mas não temos tanta certeza. Nós tivemos reformas religiosas. Eles não. Mil anos não passaram. Por mais violentos que já tenham sido, os americanos devem respostas à opinião pública. Osama não deve nada a ninguém. Tudo que ele fizer será aprovado pelos malucos fanáticos. Se explodisse uma bomba atômica na Broadway, seria saudado como santo e herói. Não há humanismo. Só deísmo. É isso que nos desperta indignação: como esse homem dentro de uma caverna pré-histórica ousa confrontar nossa "triunfal" civilização? Pois é esse nosso novo destino.

Com essa imensa liberdade a-histórica, ele criou o primeiro "acontecimento" do século XXI. Este "acontecimento" não está submetido à cadeia contínua dos presentes, com uma marcha única para o futuro. Este "acontecimento" puro foi um crime perfeito, justamente por negar qualquer compromisso com a justiça.

Nós sempre tentamos domar o destino, os imprevistos, a insegurança da vida. Osama pode tudo, pode planejar o que quiser: cartas com antrax, garrafinhas de gás soltas nas ruas, suicídios-bomba, produtos químicos no metrô. Sem ritmo, sem rosto, sem pressa. A idéia de "poder bélico" foi abolida. Não é preciso o "poder". Basta a insidiosa vingança que se come fria, basta usar ao avesso todas as conquistas que tivemos, basta o absurdo, o impensável. Sua frase-chave: "Temos milhares de jovens desejando morrer. Vocês têm milhares de jovens querendo viver." Esta é a versão mais sinistra da célebre frase do general franquista: "Abaixo a inteligência, viva a morte!" Osama é um desconstrutor, como um Derrida de turbante e barba. A América contra-ataca para impor a continuidade de um discurso. Osama quer a ruptura desse discurso. Osama já está pronto. Não há "projeto" no Oriente, não há devir; há o *maktub*, o que sempre esteve escrito. Tudo o que acontece é a confirmação da verdade "figural" do Corão, do que tinha de acontecer. O Islã não tem a dúvida. Islã quer dizer "submissão a Deus". Ao agir, os fanáticos O obedecem e seus atos vêm purificados pelo selo do Criador. Osama é um Maomé. Para ele, a verdade já foi atingida. Osama pode estar despertando nosso pior lado, a paranóia racista, ideológica, um neomacarthismo. Osama está nos expondo ao ridículo. Alguém disse: a maior potência do mundo lutando contra os Flintstones.

Uma coisa é certa: a idéia de "vencer" não existe mais, não há vitórias para nós; vamos ter de incluir a morte em nosso dia-a-dia. Não mais poderemos esquecê-la. Neste sentido, ficaremos mais "orientais", fatalistas, mais gregários. Isso pode até ser bom.

Osama arrebentou nosso mundo logocêntrico. Nosso projeto foi interrompido pelo "intempestivo", o que está fora do tempo. Só um "flintstone" poderia fazer isso: de dentro do deserto, do vazio, do nada. Só a tradição oriental contra a "representação", somente a negação de qualquer símbolo, numa linha direta com o "real" (leia-se Alá, Deus, Morte), poderia criar esta alegoria sinistra em Nova York, com força invencível e eterna, esta ferida que mudará o mundo para sempre. Osama lançou-nos um destino, como um asteróide sobre Nova York (será que ele viu *Armagedon* ou *Deep Impact*?). Mesmo crimes como Hiroshima tinham uma sórdida explicação guerreira: a boçalidade de Truman, a vingança por

Pearl Harbour, um exibicionismo nuclear contra a URSS, inaugurando a Guerra Fria. Este asteróide árabe, não; foi Deus quem mandou seus raios.

Osama fraturou a globalização do mundo. Interrompeu um eufórico processo de uniformização. Osama arrebentou com nossos universais e mostrou que no capitalismo o único universal é o capital. Osama só deu uma "bandeira" de submissão ao Ocidente, quando disse na tevê árabe que o atentado era por causa da Palestina e do Iraque. Mentira. Os fanáticos são movidos por uma loucura muito maior; trata-se de uma inveja transcendental milenar, de um rancor que não seria aplacado por modificações políticas no conflito Israel–Palestina. Outro dia o intelectual Edward Said disse numa entrevista: o Oriente precisa de uma reforma secular e o Ocidente, de uma reforma espiritual. Osama, a pretexto de odiar as oligarquias sauditas, faz o jogo delas: desloca as reformas seculares que o Islã deveria fazer para a loucura religiosa, para gáudio das oligarquias do petróleo.

Durante a Guerra Fria, a América sempre criou embaraços para governos seculares e reformistas se fixarem no Oriente. Nasser, por exemplo. A América sempre deu força aos fundamentalistas para enfraquecer os comunistas ou os terceiro-mundistas. Deu no que deu: agora só lhe resta a aceitação de uma fatalidade que veio para ficar. *Maktub*, América!

A felicidade é a empada do "Bigode"

No FIM DE ano todo mundo começa a falar: "Feliz Natal, feliz ano-novo!" Mas, ser feliz, como? O sujeito passou o ano todo quebrando a cara, reclamando da mulher, batendo nos filhos, lutando contra o desemprego, sendo humilhado pelos patrões, e aí chega o fim do ano e todo mundo diz: "Seja feliz!" E aí o sujeito tem de estampar um sorriso alvar no rosto, uma baba simpática, um olhar vazado de luz bondosa, faz uma arvorezinha de Natal com bolotas coloridas, mata um peru magro e pensa: "Sou feliz! O ano que vem, vai melhorar!"

Felicidade muda com a época. Antigamente, a felicidade era uma missão, a conquista de algo maior que nos coroasse de louros, a felicidade demandava o "sacrifício", a luta por cima de obstáculos. Felicidade se construía – por sabedoria ou esforço criávamos condições de paz e alegria em nossas vidas.

Hoje, felicidade é ser desejado. Felicidade é ser consumido, é entrar num circuito comercial de sorrisos e festas e virar um objeto de consumo. Hoje, confundimos nosso destino com o destino das coisas... Uma salsicha é feliz? Os peitos de silicone são felizes?

A felicidade não é mais interna, contemplativa, não é a calma vivência do instante, ou a visão da beleza. A felicidade é ter um "bom funcionamento". Marshall McLuhan falou que os meios de comunicação são extensões de nossos braços, olhos e ouvidos. Hoje, inverteram-se. Nós é que somos extensões das coisas. Fulano é a extensão de um banco, sicrano comporta-se como um celular, beltrana rebola feito um liquidificador. Assim como a mulher deseja ser um objeto de consumo, como um eletrodoméstico, um "avião", uma máquina peituda, bunduda. Claro que mulheres lindas nos despertam fantasias sacanas mas, em seguida, pensamos: "E depois? Vou ter de conversar... e aí?" Como conversar com um "avião" maravilhoso, mas idiota? (Aliás, dizem que uma das vantagens do Viagra é que, esperando o efeito, os homens conversam com as mulheres sobre tudo, até topam "discutir a relação".)

Mas o homem também quer ser "coisa", só que mais ativa, como uma metralhadora, uma Ferrari, um torpedo inteligente e, mais que tudo, um grande pênis voador. E eu não falo isso como crítica. Não. Eu tenho inveja, a verde, viscosa e sinistra inveja dessa ausência de angústia, dessa ignorância gargalhante que adivinho sob os seios de mulheres gostosérrimas ou nos peitos raspados de garotões lindos. Quero ser feliz, mas carrego comigo lentidões, traumas, conflitos. Sinto-me aquém dos felizes de hoje. Fui educado por jesuítas e pai severo, para quem o riso era quase um pecado. O narcisismo de butique de hoje reprime dúvidas e tristezas óbvias. Eles têm medo do medo e praticam uma espécie de *fobia eufórica*, uma síndrome de pânico ao avesso: gargalhadas de pavor. E ainda atribuem uma estranha "profundidade" a esta superficialidade, porque, hoje, esse diletantismo tem o charme raso de ser uma sabedoria elegante e "pós-tudo".

Mas falo, falo e não digo o essencial. Hoje, a felicidade é entrar num pavilhão de privilegiados. Eu queria não pensar, queria ser um imbecil completo sem angústias – meus inimigos dirão: "Você tem tudo pra isso." Sou uma esponja que se deixa tocar por tudo, desde a crise da dívida pública até o muro da Cisjordânia. Lembro a personagem de Eça de Queiroz que dizia: "Como posso ser feliz se a Polônia sofre?"

Hoje, a felicidade está na relação direta com a capacidade de não ver, de negar. Felicidade é uma lista de negativas. Não ter câncer, não ler jornal, não olhar os meninos miseráveis no sinal, não ver cadáveres na TV, não ter coração. O mundo está tão sujo e terrível que a felicidade é se transformar num clone de si mesmo, num andróide sem sentimentos, sem esperança, sem futuro, só vivendo um presente longo, como uma *rave* sem fim. Pedem-me previsões para o ano que vem. Tudo pode acontecer. Quem imaginaria o 11 de Setembro?

Osama nos legou o fatalismo dos árabes. Daqui para a frente, te-remos de aprender com eles a dizer: *"Maktub!"* – tudo estava escri-to, nada nos surpreenderá mais. Só nos restam a orientalização, a religião evangélica louca ou a "objetificação" do consumo. Ou, então, viver a felicidade das pequenas coisas. Outro dia, eu estava comendo uma empada de palmito na porta da Globo (na Kombi do Bigode, que faz as melhores empadas do mundo) quando, sem quê nem para quê, fui invadido por uma infinita ventura, uma felicidade que nunca tive. Durou uns minutos. Não sei a razão; acho que foi um protesto do corpo, um cansaço da depressão. Mas, logo depois, passou e voltei ao duro *show* da vida.

Hoje felicidade é o brilho de um solitário que suga o prazer, sem conflitos, sem afetos profundos, mas sempre com um sorriso sim-pático e congelado, porque é mais "comercial" ser alegre do que o velho herói dos anos 60, que carregava a dor do mundo. O herói feliz acha que não precisa de ninguém, que todos devem se apri-sionar em seu charme, mas ele, a ninguém. Para o herói criado pela mídia, o mundo é um grande pudim a ser comido. Feliz Na-tal e feliz ano-novo.

A humanidade sempre foi uma ilusão à toa

ESTOU DE SACO cheio; vou telefonar para o Nelson Rodrigues para ver se ele me dá alguma luz, lá do céu. Disco o telefone preto. Não quero mais falar sobre esta guerra santa, mas caio sempre neste tatear confuso, tentando raciocinar com as luzes do bom senso, de causa e efeito, da psicologia. Mas o terror não se explica. Ali, entre o Tigre e o Eufrates, é que nasceu o mundo e pode ser que acabe ali também. O telefone toca. Já ouço as risadinhas dos serafins que ficam contando piadinhas de sacanagem.

– Nelson... sou eu, o Arnaldo...

– Você me ligando, rapaz... como um telefonista de si mesmo... Achei que tinha me esquecido...

– Eu jamais te esqueço... mas estou apavorado com a História humana...

– Pára com isso, rapaz, a História não existe... Não é que a História acabou, como disse aquele japonês do Pentágono; não, a História nunca existiu... Ela foi uma invenção daquele alemão, o tal de Hegel, que, aliás, está ali sentado numa nuvem, chorando lágrimas de esguicho numa cava depressão... O sujeito achava que a "história" se movia em direção a uma "espiritualidade absoluta" e, de repente, descobre que meia dúzia de malucos, cheirando a banha de camelo, com camisolas imundas e com a face alvar da estupidez completa, está transformando a vida humana numa sinistra piada de português... ah! ah!... A História humana é um pesadelo humorístico. Você achava que a vida era movida pelas "relações de produção" e coisa e tal... Pois, está aí... a única coisa que existe é a loucura humana... Aqueles macacos que, na Idade do Gelo, se esconderam numas cavernas sujas pra não morrer de frio tiveram de inventar a tal da "linguagem", para preencher o vazio entre eles e a natureza... O homem não é superior aos outros animais, não. Ele é inferior, ele veio com defeito de fábrica... O Nietzsche, aquele cara esquisitão que também anda por aqui, bigodudo, muito sério, falando sozinho, escreveu que "num planeta distante, animais inteligentes inventaram o Conhecimento. Foi o instante mais arrogante e mentiroso do universo. Mas, depois de alguns suspiros da Natureza, o planeta acabou e os tais animais inteligentes morreram..." O Nietzsche é um craque... Sempre que eu posso, tomo um cafezinho com ele.

– Mas Nelson, o herói suicida é invencível...

– Engraçado... todo mundo está impressionado com os suicidas... A coisa mais fácil do mundo é o sujeito se matar, rapaz. Na minha infância profunda, toda semana, casais de namorados se jogavam do Pão de Açúcar, os amantes faziam pactos de morte e tomavam guaraná com formicida, as mocinhas ateavam fogo às vestes e se jogavam dos prédios como busca-pés de São João... Era lindo... as mulheres suspirando por um suicídio de amor...

– Mas esses caras acham que o suicídio leva ao céu... Aliás, você viu algum deles por aí?

– Olha... a gente só vai para o céu em que acredita... Os árabes não vêm para cá... Se bem que o paraíso deles até que não é longe... Outro dia, eu resolvi dar uma espiadinha lá... Rapaz, parecia o baile do Bola Preta! Os terroristas eram como artistas de televisão, dando autógrafos, cheios de macacas-de-auditório em volta. O Muhamad Atta, aquele chefe-suicida, estava deitado numa cama de ouro e rubis, com odaliscas do Catumbi rebolando a dança do ventre, ali, feito a Feiticeira... Tudo que eles jamais tiveram no deserto eles têm aqui em cima.

"Pois, agora, rapaz, vou te dizer uma coisa 'social': os reis da Arábia Saudita, da Líbia, do Iêmen, todos adoram que o inimigo seja o americano, vivem felicíssimos nos seus palácios com cascatinhas artificiais e filhote de jacaré nadando dentro, enquanto os miseráveis batem cabeça para Alá e não percebem que são os otários de Maomé... Isso é que é o haxixe do povo!

– Nelson, você ficou marxista aí no céu...

– O Marx me chama de "reacionário", mas me ouve muito... Ele anda chateadíssimo com as bobagens que escrevem sobre ele, inclusive amigos da Academia... Eu disse para ele: "Olha, Marx, a burrice é uma força da natureza, feito o maremoto"... Ele vive repetindo isso, achou uma graça infinita... Bom sujeito, o Marx...

– É... mas a História andou mil anos para trás...

– Rapaz, nunca saímos da barbárie... pensa bem... tivemos duas guerras mundiais num século, sem contar Vietnã e coisa e tal... Se os alemães fizeram aquilo tudo, se os americanos derreteram 150 mil em 30 segundos em Hiroshima, imagine aqueles cretinos... Reparou que eles parecem um homem só? Todos calmos, com a certeza da verdade lhes iluminando a fisionomia... A loucura é calma, o louco não tem dúvidas... Por isso, eles vão ganhar sempre... A razão é um luxo de franceses...

– Mas e o futuro da humanidade...

– O mundo nunca foi feliz... esse negócio de paz e felicidade global é invenção do comércio americano... O que houve agora é que os terroristas jogaram a gente de volta para dentro da tal "História". Além do mais, isso tinha de acontecer... Como o homem ia suportar aquela paz americana, com tudo arrumadinho como um supermercado... A loucura é a revolta do animal domesticado dentro de nós... Esse papo da Humanidade toda dando milho para os pombos na praça é lero-lero... Deus não quer isso. Vai olhar a Bíblia, o Torá; é tudo no "olho por olho"... Lembra a Inquisição? Deus é violento... (tô falando baixo que ele tá ali perto consolando o Hegel).

– Mas o ser humano...

– Rapaz... a humanidade é uma ilusão. "Tudo que é real é irracional, tudo que é irracional é real." Se o mundo acabar, não se perde absolutamente nada...

– E nós?

– Agora sim, seremos o país do futuro. Graças a Deus, eles, os americanos, vão nos esquecer um pouco... Aí, a gente pode ir construindo a nossa grande Bahia intemporal, nosso Rio transcendental, nosso grande carnaval permanente. Finalmente, o subdesenvolvimento servirá para alguma coisa...

– Deus te ouça, Nelson...

Todos os direitos desta edição reservados à
EDITORA OBJETIVA LTDA., rua Cosme Velho, 103
Rio de Janeiro – RJ – CEP: 22241-090
Tel.: (21) 2556-7824 – Fax: (21) 2556-3322
www.objetiva.com.br

Capa
Angelo Venosa

Ilustração da capa construída a partir do quadro "Três Músicos", de Beatriz Milhazes

Revisão
Umberto de Figueiredo
Marilena Moraes
Elaine Bayma

Editoração Eletrônica
Ellipse Solução Digital

J11a
    Jabor, Arnaldo
       Amor é prosa, sexo é poesia / Arnaldo Jabor. - Rio de Janeiro :
    Objetiva, 2004

       197 p   ISBN 85-7302-644-8

    1. Literatura brasileira - Crônicas. I. Título
                                  CDD B869.4

Este livro foi impresso na
LIS GRÁFICA E EDITORA LTDA.
Rua Felício Antonio Alves, 370 – Jd. Triunfo – Bonsucesso
CEP 07175-450 – Guarulhos – SP – Fone: (011) 6436-1000
Fax.: (011) 6436-1538 – E-Mail: lisgraf@uninet.com.br